この一冊で全部わかる

サーバーの基本
[第2版]

きはし まさひろ 著

イラスト図解式
わかりやすさにこだわって

SB Creative

本書に関するお問い合わせ

この度は小社書籍をご購入いただき誠にありがとうございます。小社では本書の内容に関するご質問を受け付けております。本書を読み進めていただきます中でご不明な箇所がございましたらお問い合わせください。なお、ご質問の前に小社Webサイトで「正誤表」をご確認ください。最新の正誤情報を下記のWebページに掲載しております。

本書サポートページ　https://isbn2.sbcr.jp/15741/

上記ページのサポート情報にある「正誤情報」のリンクをクリックしてください。なお、正誤情報がない場合、リンクは用意されていません。

ご質問送付先
ご質問については下記のいずれかの方法をご利用ください。

Webページより
上記のサポートページ内にある「お問い合わせ」をクリックしていただき、ページ内の「書籍の内容について」をクリックすると、メールフォームが開きます。要綱に従ってご質問をご記入の上、送信してください。

郵送
郵送の場合は下記までお願いいたします。

〒105-0001
東京都港区虎ノ門2-2-1
SBクリエイティブ　読者サポート係

■本書内に記載されている会社名、商品名、製品名などは一般に各社の登録商標または商標です。本書中では®、™マークは明記しておりません。
■本書の出版にあたっては正確な記述に努めましたが、本書の内容に基づく運用結果について、著者およびSBクリエイティブ株式会社は一切の責任を負いかねますのでご了承ください。

©2022 KIHASHI Masahiro
本書の内容は著作権法上の保護を受けています。著作権者・出版権者の文書による許諾を得ずに、本書の一部または全部を無断で複写・複製・転載することは禁じられております。

はじめに

　本書はサーバーの持つ基本的な役割や、サーバーを構築するときのポイントをイラスト化し、説明したものです。初版がおかげさまで好評をいただき、第 2 版を出版する運びとなりました。本当にありがとうございます。

　日進月歩の IT 業界において、最もめざましい変革を遂げている分野が「サーバー」です。サーバー業界はここ十数年で「クラウドコンピューティング」や「仮想化技術」など、これまでの常識を根本から覆すサービスや技術が次々と登場し、今もなお現在進行形で変革を続けています。以前はサーバーといえば、社内やデータセンターに設置するのが当たり前でした。それがクラウドコンピューティングの登場によって、雲（クラウド）の向こうにあるのが当たり前になりつつあります。それに、以前はサーバーといえば、1 筐体につき 1 つの OS が基本でした。それが仮想化技術の登場によって、1 筐体にたくさんの OS が稼働できるようになり、今やそれが基本になりつつあります。

　本書はそんな目まぐるしい変化を遂げているサーバーに、突如として関わらなくてはならなくなった「新米 IT エンジニア」や「非 IT エンジニア」の方々をターゲットに執筆しています。月並みですが、最初は誰もが初心者です。かく言う筆者もインフラの仕事を始めて間もないころ、知らない横文字や略語が弾幕のように飛び交うミーティングの中で、「トムキャットって猫？」「スクイッドってイカ？」みたいな感じで、頭の上にクエスチョンマークが浮かびまくり、四苦八苦した覚えがあります。本書はそんなミーティングの中でも、用語をうまく整理できるように、可能なかぎり、ソフトウェアやサービスの名前を文中、あるいは図中にふんだんに盛り込んでいます。また、サーバーの持つ機能や役割をイメージしやすいように、カラーでイラスト化しています。サーバーでわからないこと、わからない言葉が出てきたら、とりあえず、この本を手に取ってみてください。きっと強い味方になってくれることでしょう。本書が多くの方々の手助けになれば、筆者として幸いです。

CONTENTS

Chapter 1 サーバーとは

1-01 名前の意味から役割がわかる
サーバーとは ·· 12

1-02 サービスを要求する側とサービスを提供する側
クライアント／サーバーシステム ···················· 14

1-03 ネットワークでやりとりされるサービスの数だけある
いろいろなサーバー ··· 16

1-04 ソフトウェアが提供する機能がサーバーそのもの
サーバーソフトウェア ·· 18

1-05 ユーザーやシステムの要求を明確にすることから始める
**構築するサーバーの種類と
サーバーソフトウェアの選び方** ······················· 20

1-06 システムの一生において最も長いフェーズ
サーバーの運用管理 ··· 22

1-07 クライアントとサーバーがデータをやりとりする大前提
サーバーとネットワーク ···································· 24

COLUMN **触ってわかるインフラの世界** ································· 26

Chapter 2 ネットワークの基礎知識

2-01 まずはデータをやりとりする根幹の技術から理解しよう
ネットワークの技術を理解する ························ 28

2-02 決められたルールを守ることで通信可能になる
プロトコルとは ··· 30

2-03 コンピューターの通信機能を7つのレイヤーに分けたもの
OSI 参照モデル ··· 32

4

2-04 レイヤー1とレイヤー2のプロトコルはこれだけ覚えよう
イーサネットとMACアドレス ……………………………… 34

2-05 イーサネットでのデータのやりとり
スイッチング ………………………………………………… 36

2-06 現在のネットワークを支える中心的なプロトコル
IPとIPアドレス ……………………………………………… 38

2-07 どこからどこまでを、どのように使うかは決められている
いろいろなIPアドレス ……………………………………… 40

2-08 IPアドレスにもとづいて目的地へパケットを転送する
ルーティング ………………………………………………… 42

2-09 あて先のMACアドレスを知るための仕組み
ARP …………………………………………………………… 44

2-10 トランスポート層のプロトコルにはこの2つのどちらかを使う
TCPとUDP …………………………………………………… 46

2-11 コンピューター上の特定のアプリケーションにデータを届ける仕組み
ポート番号の使い方 ………………………………………… 48

2-12 LANとインターネットをつなぐ機器でIPアドレスを変換する
NATとNAPT ………………………………………………… 50

COLUMN **パケットキャプチャで知る奥深きネットワークの世界** ……………… 52

Chapter 3 **サーバーを用意する**

3-01 「どこに」「どんな」の観点から整理して考える
どのサーバーを利用するかを選ぶ ………………………… 54

3-02 自社で設備を保有するか、外部に任せるか
オンプレミス型とクラウド型 ……………………………… 56

3-03 用途や目的に応じてクラウドサービスを使い分ける
クラウドサービスの種類 …………………………………… 58

5

CONTENTS

3-04 自社運用のときのサーバーの設置場所は2パターン
自社かデータセンターか ································ 60

3-05 仮想化のメリットとデメリットを知っておこう
サーバーを仮想化するかしないか ················ 62

3-06 ハードウェア上で動作するものとOS上で動作するもの
仮想化ソフトウェアの種類 ························ 64

3-07 コンテナ型仮想化でサーバーの処理を隔離する
サーバーをコンテナ化するかしないか ·········· 66

3-08 タワー型かラックマウント型かブレード型か
サーバーの筐体形状を選ぶ ······················ 68

3-09 価格、処理能力、信頼性を考慮する
サーバーを構成するコンポーネント ·············· 70

3-10 Linuxサーバーか Windowsサーバーか
Linux系サーバーOSとWindows系サーバーOS ········ 72

3-11 特定のサービスだけを提供する、お手軽な選択肢
アプライアンスサーバー ·························· 74

3-12 仮想化のメリットを取るか、パフォーマンスを取るか
仮想アプライアンスサーバー ···················· 76

COLUMN **AnsibleによるサーバーEの自動化** ················ 78

Chapter 4 社内サーバーの基本

4-01 社内のクライアントにサービスを提供する
社内サーバーの配置 ······························ 80

4-02 LAN内のパソコンのネットワーク設定を自動化する
DHCPサーバーの役割 ···························· 82

4-03 IPアドレスとドメイン名を相互に変換する仕組み
DNSサーバーの役割 ······························ 84

4-04 Web サーバーへの接続を確実にするには欠かせない
DNS サーバーの冗長化 ……………………………………… 86

4-05 Windows のネットワークでは、このどちらかに所属する
ワークグループと ActiveDirectory ドメイン …………… 88

4-06 Windows ネットワーク環境を持つ企業の多くが導入している理由
Active Directory ドメインを構成するメリット ………… 90

4-07 いろいろなファイルをためて、効率よく共有する
ファイルサーバーの役割 ………………………………… 92

4-08 パスワード管理の悩みをシステムで解決する
SSO サーバーの役割 …………………………………… 94

4-09 IP 電話システムで、通話相手を特定したり呼び出したりする
SIP サーバーの役割 …………………………………… 96

4-10 クライアントの代理として Web サイトと通信を行う
プロキシサーバーの役割 ………………………………… 98

4-11 電子メールをあて先のユーザーの利用するサーバーまで届ける
送信メールサーバーの役割 …………………………… 100

4-12 サーバーに保管しているメールをユーザーに届ける
受信メールサーバーの役割 …………………………… 102

4-13 メールサービス、グループウェアサービスを提供する
Microsoft Exchange Server の役割 ………………… 104

COLUMN パスワードだけに頼らない ………………………………… 106

Chapter 5 公開サーバーの基本

5-01 インターネット上のクライアントにサービスを提供する
公開サーバーの配置 …………………………………… 108

5-02 公開までの 6 つのステップ
オンプレミス環境のサーバーを公開する ……………… 110

7

CONTENTS

5-03 公開までの7つのステップ
クラウド環境のサーバーを公開する ………………………… 112

5-04 Webサイトは3種類のサーバーで構成される
Web三階層モデル ………………………………………… 114

5-05 インターネットでさまざまな情報を配信する
HTTPサーバーの役割 …………………………………… 116

5-06 情報の「盗聴」「改ざん」「なりすまし」を防ぐ
HTTPSサーバーの役割 ………………………………… 118

5-07 SSL/TLSでは2つを組み合わせて使用している
2つの暗号化技術 ………………………………………… 120

5-08 デジタル証明書、認証局、暗号化技術の関係
SSL/TLSで接続できるまで …………………………… 122

5-09 動的ページを生成するWebシステムの中心で働く
アプリケーションサーバーの役割 ……………………… 124

5-10 動的なWebコンテンツのデータを管理する
データベースサーバーの役割 …………………………… 126

5-11 安定的、かつ高速にWebサービスを提供する
CDNの役割 ……………………………………………… 128

5-12 ファイルの配布やアップロードの仕組みを提供する
FTPサーバーの役割 …………………………………… 130

5-13 インターネットを介した安全な通信を実現する
VPNサーバーの役割 …………………………………… 132

COLUMN **サーバーがない？　サーバーレスコンピューティングサービスとは** … 134

Chapter 6

サーバーを障害から守る

6-01 障害対策のさまざまな技術
サーバーに障害はつきもの ……………………………… 136

8

6-02 ストレージドライブの高速化とデータの保護を実現する
RAID ································· 138

6-03 サーバーの通信の耐障害性向上と帯域拡張を実現する
チーミング ····························· 140

6-04 電源障害からサーバーを保護する
UPS ··································· 142

6-05 複数台のサーバーで障害に備える
クラスター ····························· 144

6-06 複数のサーバーに通信を振り分けるいくつかの方法
サーバー負荷分散技術 ··············· 146

6-07 サーバーを地理的に離れた場所に分散して災害に備える
広域負荷分散技術 ··················· 148

COLUMN **計画停電は復電に注意** ················· 150

Chapter 7 サーバーのセキュリティ

7-01 セキュリティリスクを正しく認識しよう
インターネットに潜む脅威と脆弱性 ········ 152

7-02 インターネットからの脅威に対抗する
ファイアウォールでサーバーを守る ········ 154

7-03 求める機能、コスト、運用管理能力から考える
ファイアウォールの選び方 ·············· 156

7-04 外部に公開するかしないかで配置場所が変わる
セキュリティゾーンとサーバーの配置 ······ 158

7-05 サーバーへの不正な侵入を検知したり防御したりする
IDS と IPS ··························· 160

7-06 セキュリティ機能を高め、管理者に役立つ機能も提供
次世代ファイアウォール ················ 162

CONTENTS

7-07 Web サービスを狙ったさまざまな攻撃を防御する
Web アプリケーションファイアウォール ･･････････････････ 164

7-08 メールの中身にまで踏み込んだ制御が可能
メールのセキュリティ対策 ････････････････････････････････ 166

COLUMN 誰も信じない…　ゼロトラストという新潮流 ･････････････････････ 168

Chapter 8　サーバーの運用管理

8-01 管理者はどんなことを行えばよいのか
サーバーの運用管理で行う作業 ･･････････････････････････ 170

8-02 オンプレミスもクラウドもほとんど同じ
サーバーのリモート管理 ････････････････････････････････ 172

8-03 サーバー OS の更新は慎重に行う
更新プログラムのインストール ･･････････････････････････ 174

8-04 Windows Update サーバーの代わりを社内に用意する
更新プログラムの配信管理 ･･････････････････････････････ 176

8-05 サーバーのデータの消失に備える
バックアップとリストア ････････････････････････････････ 178

8-06 管理で使用する定番コマンドを覚えよう
コマンドでネットワークの状態を知る ････････････････････ 180

8-07 ネットワークのどの部分に障害が発生したのか突き止める
コマンドで障害を切り分ける ････････････････････････････ 182

8-08 サーバーやネットワーク機器の時計を合わせる
NTP サーバーの役割 ････････････････････････････････････ 184

8-09 サーバーやネットワーク機器のログを収集する
Syslog サーバーの役割 ･･････････････････････････････････ 186

8-10 サーバーやネットワーク機器の情報を取得・設定する
SNMP サーバーの役割 ･･････････････････････････････････ 188

Chapter

1

サーバーとは

本章では、「サーバーとはそもそも何なのか」「何が必要で、どんなことをしているのか」「何のために必要なのか」など、基本的な内容について、いろいろな側面から解説します。

Chapter 1　名前の意味から役割がわかる

01 サーバーとは

■ そもそもサーバーとは

　「サーバー」と聞いて、皆さんはどんなものをイメージするでしょうか。ある人はバレーの「サーバー」を、ある人はオフィスにある「コーヒーサーバー」をイメージするかもしれません。一口に「サーバー」と言っても、いろいろな捉え方があって、何をイメージするかは人それぞれでしょう。そこで、本書で説明する「サーバー」とはそもそも何なのか、はじめに国語的な観点から説明していくことにしましょう。

　国語辞典の大御所「広辞苑」では、サーバーについて以下のように記載しています。

サーバー【server】

① テニス・卓球・バレーボールなどで、サーブをする方の側。また、その人。

② 飲食物を給仕するために用いる具。皿に料理を取り分ける大型のフォーク・スプーンや、コーヒーを注ぐポットなど。

③ ネットワーク上で他のコンピューターやソフト、すなわちクライアントにサービスを提供するコンピューター。

■ コンピューターのサーバーはクライアントにサービスを提供する

　サーバー（server）は、「提供する」という意味を持つ「serve」に「○○するもの」という意味を表す「er」をくっつけた単語です。①のサーバーは相手のコートにボールを提供する人であり、②のサーバーはコーヒーサーバーのように、飲み物をみんなに提供する道具です。本書で説明するサーバーは③のサーバー、**ネットワーク上の「クライアント」にいろいろなサービスを提供するコンピューターです**。

　いまいちピンと来ない人のために、例を使って、あっさり説明してみましょう。皆さんも普段、Google Chrome や Safari などの Web ブラウザを利用して、Google でいろいろな情報を検索することでしょう。このとき、Web ブラウザが「**クライアント**」で、検索サービスを提供する Google のコンピューターが「**サーバー**」です。

イメージでつかもう！

● サーバー【server】を国語辞典でひもといてみると……

① サーブする人

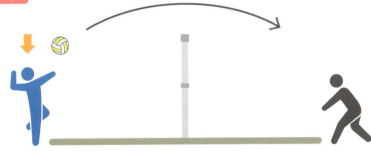

② 飲食物を給仕するための道具

③ ネットワーク上で他のコンピューターやソフトにサービスを提供するコンピューター

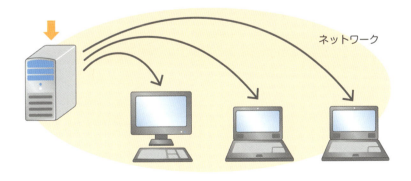

関連用語　Web サーバー ▶ p.114

Chapter 1 サービスを要求する側とサービスを提供する側

02 クライアント／サーバーシステム

▌ サーバーの処理はクライアントの要求から始まる

　サーバーは、それ単体で動作するわけではなく、不特定多数のコンピューターに対して一方的にサービスを提供するわけでもありません。**クライアントからの要求(リクエスト）を受けて、はじめて処理を開始し、サービスを提供（レスポンス）します。**サーバーがクライアントに対してサービスを提供するとき、サーバーとクライアントの間では、以下のような処理が行われます。

① クライアントはサーバーに何らかのサービスを要求する
② サーバーは要求に応じた処理を行う
③ サーバーは処理結果をクライアントに返す
④ クライアントは処理結果を受け取る

▌ Web サービスに当てはめてみよう

　もう少しイメージしやすくなるように、皆さんにとって身近な Web サービスをこれらの処理に当てはめてみましょう。Web サービスにおけるクライアントは Google Chrome や Safari などのような Web ブラウザです。それに対して、サーバーは Web サイト（を構成するファイル）が置いてあるコンピューターです。

① Web ブラウザは Web サーバーに「○○サイトのデータをください」と要求する
② Web サーバーは○○サイトのファイルを見つけ出す
③ Web サーバーは○○サイトのファイルを Web ブラウザに返す
④ Web ブラウザは○○サイトのファイルを受け取り、画面に表示する

　このように、サーバーとクライアントで構成されているシステムのことを「**クライアント／サーバーシステム**」といいます。**クライアント／サーバーシステムは、サーバーでデータを一元的に、かつ容易に管理できることから、ほとんどのコンピューターシステムで採用されています。**

プラス1 クライアント／サーバーシステムの対義語が「P2P（ピアツーピア）システム」です。P2P システムでは、すべてのコンピューターがサーバーを経由せずに直接通信します。

イメージでつかもう！

● サーバーとクライアントの関係は？

サーバーは、クライアントからの要求（リクエスト）を受けて、はじめて処理を開始し、その要求に応じたサービスを提供（レスポンス）します。

Webサービスを例にとると……

クライアントはWebブラウザです。　　　　サーバーはWebサーバーです。

● Webサービスの処理の流れ

① クライアントがサーバーにサービスを要求

○○サイトのデータを要求する

② サーバーは要求に応じた処理を行う

○○サイトのデータを見つけ出す

③ サーバーは処理結果をクライアントに返す

○○サイトのデータを送る

④ クライアントは処理結果を受け取る

○○サイトのデータを画面に表示する

関連用語　Web サーバー ▶ p.114

15

1　サーバーとは

Chapter 1 | ネットワークでやりとりされるサービスの数だけある

03 いろいろなサーバー

■ サーバーの役割はサービスによって決まる

コーヒーを提供する容器が「コーヒーサーバー」であるように、また、ビールを提供する機材が「ビールサーバー」であるように、コンピューターのサーバーにもいろいろな役割を持つサーバーがあります。そして、そのサーバーの役割を決めているものが「サービス」です。

サーバーの「サービス」と聞くと、何だか小難しく感じてしまう人もいるかもしれません。しかし、実際のところ、難しく考える必要はありません。**あなた自身がインターネットでやりとりしている情報のすべてがサービスそのものです**。毎日使用しているWebもメールも「サービス」です。LINEもTwitterもみんな「サービス」です。あなたのスマホやタブレット端末も知らず知らずのうちに、いろいろなサービスのクライアントとなって、サーバーのサービスを受けているのです。

■ たくさんのサーバー、たくさんのサービス

コンピューターの世界には数えきれないほどのサービスがあって、その数分だけサーバーの役割があります。しかし、そのすべてを理解する必要はなく、自分に関係しそうなものを押さえておけばよいでしょう。サーバーの役割について話すときには、「○○サーバー」のように、サービスの名前をそのままサーバーの前にくっつけてみてください。すると、そのサーバーの役割を示す言葉になります。たとえば、情報配信やオンラインショッピングなど、いろいろなWebサービスをWebクライアントに提供するコンピューターは「Webサーバー」です。また、メールを送受信するサービスをメールクライアントに提供するコンピューターは「メールサーバー」です。

ちなみに、人によってWebサーバーのことを「HTTPSサーバー」「HTTPサーバー」と言ったり、メールサーバーのことを「SMTPサーバー」「POPサーバー」と言ったりするので、少し混乱してしまうことがあるかもしれません。しかし、**それは人によって、サービスの呼び方、捉え方が多少違うだけで、本質的に大きく変わるわけではありません**。自分の中でうまく置き換えて、考えるようにしましょう。

イメージでつかもう！

● サービスによってサーバーの呼び名が決まる

「○○サーバー」の○○のところには、提供するサービスの名前が入ります。

コーヒーを提供するのは
コーヒーサーバー

ビールを提供するのは
ビールサーバー

ネットワーク上でやりとりされる情報は、すべて何らかのサービスです。

提供されるサービスに基づいて呼ぶならば、LINEのサービスを提供するのはLINEサーバー。Twitterのサービスを提供するのはTwitterサーバー。YouTubeのサービスを提供するのはYouTubeサーバーとなります。

しかし、Webサーバーのことを「HTTPSサーバー」と呼んでいたり、メールサーバーのことを「SMTPサーバー」と呼んでいたりすることがあります。

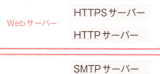

| Webサーバー | HTTPSサーバー / HTTPサーバー | ← | 暗号化した状態でWebを見るには「HTTPS」、暗号化せずにWebを見るには「HTTP」という名前の約束事（プロトコル）でサービスを提供するため |
| メールサーバー | SMTPサーバー / POPサーバー | ← | メールの送信には「SMTP」、メールの受信には「POP」という名前の約束事（プロトコル）でサービスを提供するため |

サービスの捉え方によって、多少呼び名が変わると考えればよいでしょう。

関連用語：HTTPサーバー ▶ p.116　HTTPSサーバー ▶ p.118　POPサーバー ▶ p.102　SMTPサーバー ▶ p.100
Webサーバー ▶ p.114　メールサーバー ▶ p.100　プロトコル ▶ p.30

Chapter 1 ソフトウェアが提供する機能がサーバーそのもの

04 サーバーソフトウェア

　よしっ！サーバーを構築してみよう！　そう思ったとき、どうしたらよいでしょう。答えはとても簡単です。**コンピューターにソフトウェアをインストールして、起動してみればよいだけです**。結局のところ、サーバーとはサービスを提供するためのソフトウェアである「サーバーソフトウェア」の持つ機能そのものです。クライアントはその機能を利用することによって、サービスを受けられます。パソコンやスマートフォンにインストールするアプリケーションソフトウェアと同じように、サーバーソフトウェアをインストールし、起動しさえすれば、サーバーに早変わりです。

■ いろいろなサーバーソフトウェア

　サーバーソフトウェアは、サービスを提供するための機能を持っているソフトウェアです。サービスごとにサーバーソフトウェアがあると考えてよいでしょう。たとえば、Web サービスを提供するソフトウェアは「Web サーバーソフトウェア」で、それが動作しているコンピューターが「Web サーバー」です。また、メールサービスを提供するソフトウェアは「メールサーバーソフトウェア」で、それが動作しているコンピューターが「メールサーバー」です。

■ 複数のサーバーを 1 台のコンピューターにまとめる

　サーバーは結局のところ「サーバーソフトウェアが提供する機能」以外の何物でもありません。パソコンやスマートフォンで動作するアプリケーションソフトウェアと同じように、**1 台のコンピューター上で複数のサーバーソフトウェアを動作させることも可能です**。不思議なことに、サーバーとなると「1 サーバーにつき 1 コンピューター」のように勘違いしている人が多かったりします。しかし、そんなことをしていたら、いくらお金があっても足りません。たとえば、Web サーバーとアプリケーションサーバーを共存させたり、メールサーバーと DNS サーバーを共存させたり、異なる役割のサーバーを共存させて、限りあるリソースをうまくやりくりするようにしてください。

プラス 1 1 台のコンピューターに複数のサーバーを共存させた場合、コンピューターの障害の影響が共存するサーバーすべてに及ぶことになります。それ相応のリスクを伴うことを認識しておきましょう。

イメージでつかもう！

● サーバーソフトウェアをインストールすれば、サーバーになる

サーバーを構築するということは、**サーバーソフトウェア**をコンピューターにインストールして、起動することです。

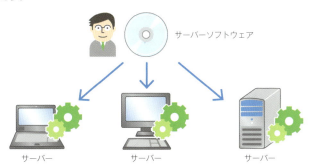

普段使っているデスクトップパソコンやノートパソコンでも、サーバーソフトウェアをインストールして起動すればサーバーになります。

サービスごとにサーバーソフトウェアがあります。たとえば、Webサーバーソフトウェアをインストールして起動すれば、Webサーバーになります。

Webサーバーソフトウェアの場合、このような名前の製品が代表的です。それぞれに特徴がありますが、「Webサーバー」としての機能は共通しています。

1台のコンピューターで複数のサーバーソフトウェアを動作させることもできます。もちろん、1台を1種類のサーバーとすることもできます。

関連用語　DNSサーバー ▶ p.84　Webサーバー ▶ p.114　アプリケーションサーバー ▶ p.124
　　　　メールサーバー ▶ p.100

Chapter 1 ユーザーやシステムの要求を明確にすることから始める

05 構築するサーバーの種類とサーバーソフトウェアの選び方

■ どのサーバーを用意するか

　実際にネットワークシステムを構築するとなったとき、数限りなくあるサーバーからどのサーバーを選択すればよいのでしょうか。この疑問を解決する最も簡単な方法が、「**ユーザーとシステムの声に耳を傾ける**」です。答えのすべてはユーザーとシステムの声、つまり「要求」の中にあります。たとえば、「メールを送信したい」という要求があったとしましょう。その場合、メールを送信するサービスを提供するメールサーバーが必要です。また、たとえば「みんなでデータを共有したい」という要求があったとしましょう。その場合、データを一元的に管理するファイルサーバーが必要です。**使用するユーザーやシステムの要求をヒヤリングし、それをしっかり定義していけば、どのサーバーを用意すべきか自ずと答えが見えてきます。**

■ どのサーバーソフトウェアをインストールするか

　用意すべきサーバーが決まったら、どのサーバーソフトウェアをインストールすべきかを考えます。**サーバーソフトウェアは一般的に使用されるものが決まっていて、ほとんどの場合、その中から選んで使用します。**たとえば、Web サービスを提供する Web サーバーソフトウェアの場合、「Apache（オープンソースソフトウェア）」「nginx（オープンソースソフトウェア）」「IIS（マイクロソフト）」の中から選択することが多いでしょう。また、4-03 節で説明する名前解決サービス（DNS）を提供する DNS サーバーソフトウェアの場合、「BIND（オープンソースソフトウェア）」「Unbound（オープンソースソフトウェア）」「Windows Server（マイクロソフト）」の中から選択することが多いでしょう。どのサーバーソフトウェアを選択するかは、対応している OS(Windows OS？ Linux OS？) や想定しているプログラミング環境（Java？ .NET？ Ruby？）、要求されている機能や導入・運用管理にかかるコスト（イニシャルコストはいくら？ ランニングコストはいくら？）など、いろいろな要素を多角的に比較しながら決めていきます。

プラス1 オープンソースソフトウェア（OSS）は、ソースコードが無償で公開され、誰でも改良したり、再配布したりしてもよいソフトウェアのことです。

イメージでつかもう！

●「○○したい！」という声から、必要なサーバーが決まる

いろいろな種類のサーバーの中から何を導入するかは、ユーザーとシステムが何を必要としているかによって決まります。

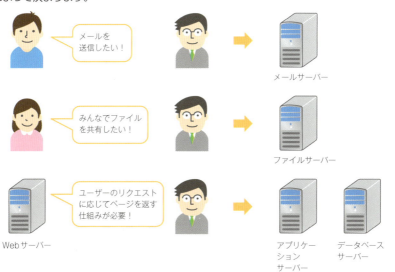

● 代表的なサーバーソフトウェア

サーバー	代表的なサーバーソフトウェア
Webサーバー	Apache（オープンソース）／nginx（オープンソース）／IIS（マイクロソフト）
アプリケーションサーバー	Tomcat（オープンソース）／WebLogic Server（オラクル）／WebSphere Application Server（IBM）／IIS（マイクロソフト）
DNSサーバー	BIND（オープンソース）／Unbound（オープンソース）／Windows Server（マイクロソフト）
プロキシサーバー	Squid（オープンソース）
メール（POP/SMTP）サーバー	Sendmail（オープンソース）／qmail（オープンソース）／Postfix（オープンソース）／Exchange Server（マイクロソフト）
FTPサーバー	vsftpd（オープンソース）／ProFTPD（オープンソース）／IIS（マイクロソフト）
データベースサーバー	Oracle Database（オラクル）／MySQL（オラクル、オープンソース）／SQL Server（マイクロソフト）／Db2（IBM）
ファイルサーバー	Samba（オープンソース）／Windows Server（マイクロソフト）
NTPサーバー	ntpd（オープンソース）／Windows Server（マイクロソフト）
Syslogサーバー	syslog-ng（オープンソース）／rsyslog（オープンソース）／Kiwi Syslog Server（SolarWinds）／Splunk（Splunk）
SNMPサーバー	Net-SNMP（オープンソース）／Zabbix（オープンソース）／TWSNMPマネージャ（オープンソース）／OpenView NNM（ヒューレット・パッカード）／Tivoli NetView（IBM）

関連用語　DNSサーバー ▶p.84　Webサーバー ▶p.114　アプリケーションサーバー ▶p.124
データベースサーバー ▶p.126　ファイルサーバー ▶p.92　メールサーバー ▶p.100

Chapter 1 システムの一生において最も長いフェーズ

06 サーバーの運用管理

構築が終了したサーバーは、サービスインとともに、運用管理フェーズに入ります。運用管理フェーズはシステムの一生において最も長いフェーズで、サービスが終了するまでずっと続きます。サーバーの運用管理フェーズでは、「**設定変更**」「**障害対応**」という、主に2つの作業を行います。

設定変更

サーバー管理者は、ユーザーの要求にあわせて、サーバーの設定を変更していきます。長くサーバーの運用管理を続けていると、きっといろいろな要求が出てくることでしょう。しかし、すべての要求を聞き入れていると、きりがありません。そこで、限られた設定項目だけでできたヒアリングシートなどをあらかじめ作っておいて、**設定する範囲を絞っておくと、後々の管理もしやすくなるでしょう**。

障害対応

障害対応には大きく分けて、「**事前対応**」と「**事後対応**」があります。

障害を予防するための対応が事前対応です。事前対応では、サーバーの各種状態（CPU使用率やメモリ使用率、通信状態、エラーログファイルなど）を定期的にチェックしたり、メーカーから公開される脆弱性（セキュリティ上の欠陥）情報やバグ情報をチェックしたりします。たとえば、急激にCPU使用率が上がっていたり、変なエラーログが記録されていたりするなど、**何らかの異変が認められるようであれば、その内容を確認し、必要に応じて予防交換を実施します**。また、使用しているOSやサーバーソフトウェアが脆弱性情報やバグ情報に該当していたりしたら、バージョンアップを実施します。

それに対して、障害が起こってしまった後の対応が事後対応です。どんなに高性能なサーバーも所詮は電子機器です。いつかどこかが絶対に故障します。事後対応では、サーバーのどこにどんな障害が発生したかを、コンピューター本体にあるLEDランプやエラーログファイルなどで確認し、それに応じた適切な対応を行います。

> **プラス1** サーバーは「要件定義」→「基本設計」→「詳細設計」→「構築」→「動作試験」の流れで構築されます。試験終了後、サービスインとともに運用管理フェーズに入ります。

● サーバーを構築した後は、ずっと運用管理が続く

サーバーは構築すれば終わりというわけではなく、ずっと運用管理していく必要があります。運用管理の内容は、主に「設定変更」と「障害対応」の2つです。

設定変更

設定変更は、ユーザーの要求にあわせて行います。

設定変更例
- ユーザーの追加・削除
- 管理コンピューターの追加・削除
- 運用ポリシーの変更
- ストレージ容量割り当ての拡張

ユーザーの要求をすべて聞いていてはキリがありませんので、設定する項目をある程度絞っておくのがよいでしょう。

● 障害対応は「事前」と「事後」の2種類

事前対応

システムやユーザー、メーカーの動向を調査し、障害を予防します。

チェック項目例
- 脆弱性情報
- バグ情報

チェック項目例
- CPU使用率
- メモリ使用率
- 通信状態
- エラーログファイル

事後対応

障害が発生した後に、どこにどんな障害が発生したかを調査し、迅速に対応します。

調査項目例
- コンピューター本体のLEDランプ
- エラーログファイル

関連用語 エラーログファイル ▶ p.186　サーバーの状態情報 ▶ p.188　障害の切り分け ▶ p.182
リモート管理 ▶ p.172

Chapter 1 クライアントとサーバーがデータをやりとりする大前提

07 サーバーとネットワーク

サーバーとクライアントの情報の架け橋になっている技術が「ネットワーク」です。**すべてのサーバーはネットワークを通じてサービス、つまりデータを提供します。**サーバーはネットワークにつながっていないとデータを提供できませんし、クライアントもネットワークにつながっていないとデータを受け取ることができません。

そもそもネットワークとは

「ネットワーク」という言葉は、「**何かと何かのつながり**」全般を意味しています。たとえば、駅と駅をつなぐ鉄道線路や、放送局と放送局をつなぐ放送網もネットワークですし、会社や組織などにおける人と人とのつながりもネットワークです。本書でいう「ネットワーク」は、コンピューターとコンピューターをつなぐ「コンピューターネットワーク」を表します。鉄道線路のネットワークが乗客を電車に乗せて運ぶように、放送網のネットワークが情報を電波に乗せて運ぶように、**コンピューターネットワークはデータをケーブル（Wi-Fi のような無線ネットワークの場合は電波）に乗せて運びます。**

コンピューターネットワークとは

では、もう少しブレイクダウンして、コンピューターネットワークには具体的にどのようなものがあるか見てみましょう。身近でよく耳にする言葉といえば「インターネット」でしょう。インターネットという言葉の起源は「インターネットワーク（Internetwork）」で、世界中に散在しているネットワークをつなぐ、大きなコンピューターネットワークを意味しています。また、「LAN」も耳にする機会が多いのではないでしょうか。街の家電量販店に行くと、LAN ケーブルや LAN スイッチがところ狭しと並んでいます。LAN は「Local Area Network」の略で、企業や組織、家庭など、一定の範囲内に存在するコンピューターをつなぐコンピューターネットワークを意味しています。LAN ケーブルは LAN につなぐためのケーブルであり、LAN スイッチは LAN を構築するためのネットワーク機器です。

> **プラス 1** LAN の対義語が「WAN（Wide Area Network）」です。WAN は、LAN と LAN を接続するネットワークです。インターネットも WAN のひとつです。

イメージでつかもう！

● サーバーはネットワークを通じてサービスを提供する

クライアントとサーバーの間には、**ネットワーク**があります。ネットワークを介してデータをやりとりします。

有線ネットワークの場合はケーブルを通じてデータをやりとり

無線ネットワークの場合は電波を通じてデータをやりとり

クライアントとサーバーは、物理的な距離が近いこともありますし、遠いこともありますが、必ずネットワークでつながっています。

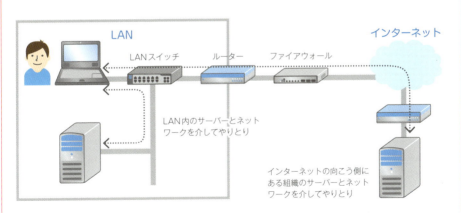

 ネットワークの基礎知識を次章で解説していきます。

関連用語　イーサネット ▶ p.34　スイッチ ▶ p.36　ファイアウォール ▶ p.154　ルーター ▶ p.42

COLUMN

触ってわかるインフラの世界

　サーバーマスターへの一番の近道は「実際にインストールして、触ってみること」です。なお、ここで言う「触る」とは、サーバーの本体に頬をスリスリしてみるという意味ではありません。「設定する」という意味です（インフラ業界ではよく使われる表現です）。

　え？　わざわざインストールして、設定までするなんて、近道になってない？そうですね。しかし、おそらくどの世界においてもそうだと思いますが、結局のところ「急がば回れ」です。もちろん理論が重要なのは言わずもがなのことでしょう。しかし、理論だけで実践が伴わなければ、必ずどこかでほころびが出てきます。日本のインフラ業界は IT ゼネコン化が進み、机上の空論のみを振りかざし、細かい設定部分は協力会社（いわゆる下請け業者）に任せてしまえという風潮があります。理論だけでうまくいけば、世の中に障害など存在しません。しかし、毎日のようにシステム障害のニュースを目にするということは、理論だけでは説明しきれない何かがあるのです。その何かを突き止めるためには、インストールして、設定してみるしかありません。また、できあがったシステムにトラブルが起こったとき、自分を奮い立たせてくれるのは、「そのシステムをたくさん触った」という事実にほかなりません。まずはインストールしてみて、実際に設定してみましょう。

　もちろん自分のパソコンにサーバーソフトウェアをインストールして、サーバーにするだなんて、「なんとなく不安…」、そう感じる方もいるでしょう。その場合は「VMware Player」や「VirtualBox」のような、無償の仮想化ソフトウェアを利用しましょう。仮想化ソフトウェアを利用すると、自分のパソコン上でまったく別のコンピューター（仮想マシン）を動作させることができ、それにサーバーソフトウェアをインストールできます。また、たとえ変な設定をしていたとしても、仮想マシンをいったん削除して、作り直しさえすれば、簡単にやり直しができます。うまく活用して、実際にサーバーを触ってみましょう。

Chapter

2

ネットワークの
基礎知識

サーバーは、ネットワークを通じて
クライアントにサービスを提供しま
す。ネットワークなしでは、サーバー
はその役割を果たせません。本章で
はサーバーを支えるネットワークの
基礎知識について解説します。

Chapter 2 まずはデータをやりとりする根幹の技術から理解しよう

01 ネットワークの技術を理解する

　1-07 節で述べたとおり、すべてのサーバーはネットワークを使用してデータを提供（転送）します。この章ではサーバーがクライアントに対して、どのようにデータを転送しているのか、詳しく説明していきます。

■ サーバーでは無線 LAN は使用しない

　一般的に言われている「LAN」は、ケーブルを利用してデータを転送する「有線LAN」と、電波を利用してデータを転送する「無線 LAN」とに大別されます。このうち、サーバーを接続するときは有線 LAN が基本です。どんなに無線 LAN が高速になったと言っても、速度的にも品質的にも有線 LAN にはまだまだかないません。**無線 LAN はあくまでクライアント側だけのものです**。本章ではサーバーで使用する有線 LAN のみを前提として取り扱います。

■ 下位のレイヤーから順に理解するとわかりやすい

　本章では、**コンピューターがネットワークに接続するために必要な通信機能を階層的に分類した「OSI 参照モデル」をベースに説明します**。OSI 参照モデルは、物理的な機能を定義する「物理層」から、アプリケーション的な機能を定義する「アプリケーション層」まで、合計 7 つのレイヤー（階層）で構成されています。本書では、下のレイヤーから上のレイヤーに向かって、サーバーを理解するために特に必要な「トランスポート層」までを順に説明していきます。また、各レイヤーの解説は「技術パート」と「機器／機能パート」の 2 パートで構成しています。はじめに技術パートで、そのレイヤーでポイントとなる技術的な要素や代表的なプロトコル（通信するときの約束事）について説明します。次に機器／機能パートで、そのレイヤーで動作するネットワーク機器や代表的な機能について説明します。たとえば、ネットワーク層の場合、はじめの技術パートでは、ネットワーク層の代表的なプロトコルである「IP」と「ARP」、技術的な要素として「IP アドレス」を取り上げています。続く機器／機能パートでは、ネットワーク層で動作するネットワーク機器である「ルーター」と、その中核を担う機能である「ルーティング」を取り上げています。

プラス 1 OSI 参照モデルと並んで説明されることが多いモデルが「TCP/IP モデル」です。TCP/IP モデルはOSI 参照モデルをよりシンプル、かつ実用的にしたモデルです。

イメージでつかもう！

● ネットワークで使われる技術と機器のポイントを押さえる

ネットワークにはいろいろな技術や機器がありますが、まずはサーバーとクライアントのデータのやりとりを理解するうえで必要なものから押さえましょう。

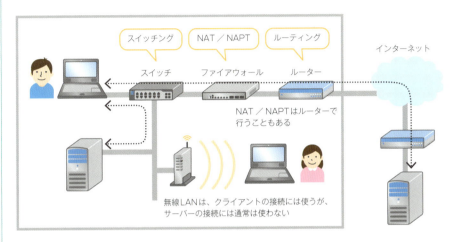

本書では、OSI参照モデル（2-03節で説明）の下位のレイヤーから順に、ポイントとなる技術と機器について説明していきます。

レイヤー	通信機能	技術パート		機器／機能パート	
		関連する節	技術	関連する節	機器
アプリケーション層 （レイヤー7、L7）	ユーザーにアプリケーションを提供する				
プレゼンテーション層 （レイヤー6、L6）	アプリケーションデータを通信できる方式に変換する				
セッション層 （レイヤー5、L5）	論理的な通信路（セッション）を管理する				
トランスポート層 （レイヤー4、L4）	アプリケーションの識別と通信制御を行う	2-10	TCP／UDP	2-12	NAT／NAPT*
		2-11	ポート番号		
ネットワーク層 （レイヤー3、L3）	異なるネットワークにいるコンピューターとの接続を確保する	2-06	IP	2-08	ルーター ルーティング
		2-07	IPアドレス		
		2-09	ARP		
データリンク層 （レイヤー2、L2）	同じネットワークにいるコンピューターとの接続を確保する	2-04	イーサネット MACアドレス	2-05	スイッチ スイッチング
物理層 （レイヤー1、L1）	デジタルデータを電気信号や光信号、電波に変換する				

＊ ファイアウォールについては、本書の流れを考慮して、Chapter7で取り扱います。

関連用語　ARP ▶ p.44　IP ▶ p.38　IPアドレス ▶ p.38　OSI参照モデル ▶ p.32　スイッチ ▶ p.36
　　　　　ファイアウォール ▶ p.154　プロトコル ▶ p.30　ルーター ▶ p.42

| Chapter | 2 | 決められたルールを守ることで通信可能になる |

02 プロトコルとは

■ プロトコル＝通信するときの約束事

　一言で「通信する」と言っても、みんなが好き勝手にデータをネットワークに流しても、伝わるはずがありません。そもそも相手にデータが届くかどうかもわかりませんし、届いたとしても相手が理解できるかわかりません。そこで、ネットワークの世界には、通信するときの約束事が存在しています。この約束事のことを「プロトコル（通信プロトコル）」といいます。このプロトコルが通信に必要な機能ごとにしっかりと整備されているおかげで、たとえパソコンのメーカーが違っていても、OS が違っていても、有線でも無線でも気にすることなく、同じように通信できます。皆さんも Web サイトを見るとき、「https://www.google.com/」のように、URL を入力したことはありませんか。このうち、最初に入力する「https」がまさにプロトコルに当たります。HTTPS は「HyperText Transfer Protocol Secure」の略で、Web サーバーと Web ブラウザの間で安全にデータをやりとりするときに使用する通信の約束事、つまりプロトコルです。Web ブラウザは、URL の最初に「https」という文字を付けることによって、「HTTPS で決められた約束事に基づいて、データを送信します」と宣言しています。

■ プロトコルで決まっていること

　ネットワークに接続するコンピューターは、送りたいデータをそのままの状態でズドンと送るのではなく、「パケット」と呼ばれる小さい単位に分割して送ります。パケットとは英語で「小包」という意味です。プロトコルでは、このパケットを間違いなく通信相手に送るために必要な、ありとあらゆる機能が定義されています。たとえば、誰かに郵便小包を送るときには荷札が必要でしょう。それと同じように、パケットにも「ヘッダー」という名前の荷札をくっつけます。ヘッダーには、通信相手となるコンピューターの情報だったり、データの何番目に当たるパケットなのかだったり、いろいろな情報が含まれています。プロトコルでは、どのように通信相手やパケットの順番を表現するかが定義されています。

イメージでつかもう！

● プロトコル＝通信するときの約束事（通信規約）

ネットワークで通信するコンピューターは、すべて**プロトコル**という約束事を守って、データを送っています。プロトコルが整備されているおかげで、いろいろなコンピューターが通信できているのです。

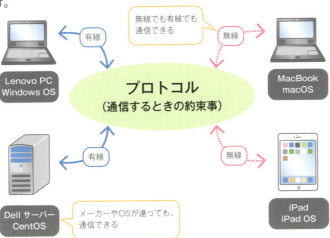

● パケットに分割して送る

データはそのままの状態で送られるわけではなく、**パケット**と呼ばれる小さい単位に分割して送られます。プロトコルでは、パケットが間違いなく通信相手に送られるために必要な機能が定義されています。

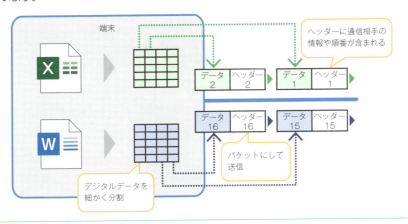

関連用語　ARP ▶ p.44　HTTP ▶ p.116　HTTPS ▶ p.118　IP ▶ p.38　TCP ▶ p.46　UDP ▶ p.46
　　　　　イーサネット ▶ p.34

| Chapter **2** | コンピューターの通信機能を 7 つのレイヤーに分けたもの |

03 OSI参照モデル

　ネットワークには数限りないプロトコルが存在していますが、ユーザーがインターネットをするときに、コンピューターが使用するプロトコルは「イーサネット」「Wi-Fi」「IP」「TCP」「UDP」「アプリケーションプロトコル（HTTP、HTTPS、QUIC、DNS）」の 6 個くらいです。これらを「OSI 参照モデル」と呼ばれる概念に当てはめて考えると、ネットワークに対する理解が進みやすくなります。

OSI 参照モデル

　OSI 参照モデルは、通信機能の役割を階層的に分類した概念です。下から順に「物理層」「データリンク層」「ネットワーク層」「トランスポート層」「セッション層」「プレゼンテーション層」「アプリケーション層」の 7 つのレイヤー（階層）で構成されています。各レイヤーは異なる役割を持ち、別々に動作します。そのように分類することによって、隣り合うレイヤーの動作が互いに影響を与えないようになっており、結果として、レイヤーごとにトラブルシューティングができるようにもなっています。

　先ほどのプロトコルを OSI 参照モデルに当てはめてみましょう。イーサネットとWi-Fi は物理層からデータリンク層のプロトコルです。IP はネットワーク層、TCPと UDP はトランスポート層のプロトコルです。アプリケーションプロトコルはセッション層からアプリケーション層のプロトコルです。

送信は上から下に、受信は下から上に

　実際に通信するときは、NIC（Network Interface Card、別名：ネットワークアダプター）のデバイスドライバーや OS、アプリケーションが各レイヤーで使用するプロトコルを選んで処理をします。これらの処理は、基本的に自動で行われるため、ユーザーが意識することはありません。

　データを送信するコンピューターは、レイヤーの上位から下位に向かって、それぞれのプロトコルに基づいてデータを処理していき、ネットワークに流します。そのデータを受け取ったコンピューターは、送信とは逆に、レイヤーの下位から上位に向かって、送信元のコンピューターと同じレイヤーのプロトコルに基づいてデータを処理し、最終的に元のデータに戻します。

イメージでつかもう！

● OSI参照モデルでプロトコルをスッキリ整理

プロトコルは、**OSI参照モデル**という階層的なモデルで分類できます。

● 送信側と受信側のコンピューターで階層ごとにデータを処理する

送信するときは、レイヤーの上位から下位に向かってデータを処理します。逆に、受信するときは、レイヤーの下位から上位に向かってデータを処理します。使用するプロトコルは、アプリケーションやOS、NICのデバイスドライバーが自動的に選択します。

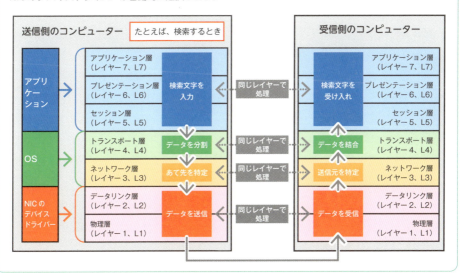

関連用語　DNS ▶p.84　HTTP ▶p.116　HTTPS ▶p.118　IP ▶p.38　TCP ▶p.46　UDP ▶p.46
イーサネット ▶p.34　プロトコル ▶p.30

Chapter	2	レイヤー1とレイヤー2のプロトコルはこれだけ覚えよう

04 イーサネットと MACアドレス

■ イーサネットでフレームを作る

　物理層とデータリンク層で必要不可欠な規格が「**イーサネット**」です。有線ネットワークであれば、ほぼ間違いなくイーサネットを使用していると考えてよいでしょう。イーサネットはネットワーク層から受け取ったデータ（IPパケット）に、フレームの最初を表す「プリアンブル」、あて先や送信元を表す「イーサネットヘッダー」、転送エラーのチェックに使用する「FCS(Frame Check Sequence)」を付加することで、「**イーサネットフレーム**」を作ります。そして、LANケーブルに流す電気信号や、光ファイバーケーブルに流す光信号に変換して、ケーブルに流します。

■ MACアドレスでコンピューターを識別する

　イーサネットではNICに自動で割り当てられる「**MACアドレス**」という識別番号を使用して、コンピューターを識別します。MACアドレスは「a8:66:7f:04:00:80」や「00-50-56-c0-00-01」のように、48ビットを8ビットずつハイフンやコロンで区切って、16進数で表記します。MACアドレスは上位24ビットと下位24ビットで異なる意味を持っています。上位24ビットは電気・電子関係の技術者団体である米国電気電子学会（IEEE）が機器のベンダー（販売会社）ごとに割り当てたベンダーコードです。これは「**OUI(Organizationally Unique Identifier)**」と呼ばれており、この部分を見ると、コンピューターのベンダーがわかります。また、下位24ビットは、ベンダー内で機器ごとに一意に割り当てているコードです。MACアドレスはIEEEによって一意に管理されている上位24ビットと、各ベンダーによって一意に管理されている下位24ビットの2つの組み合わせで定義します。そのため、各NICに割り当てられているMACアドレスは世界で1つだけのものになります。

　コンピューターがデータを送信するときは、自分のMACアドレスを「**送信元MACアドレス**」、データを送る相手のMACアドレスを「**あて先MACアドレス**」としてヘッダーに入れることによって、フレームにします。

プラス1	IEEEによって割り当てられたOUIは「http://standards-oui.ieee.org/oui/oui.txt」で確認できます。

イメージでつかもう！

● イーサネットは物理層とデータリンク層をまとめた規格

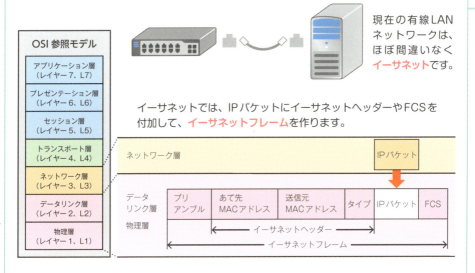

現在の有線LANネットワークは、ほぼ間違いなく**イーサネット**です。

イーサネットでは、IPパケットにイーサネットヘッダーやFCSを付加して、**イーサネットフレーム**を作ります。

● イーサネットでは通信する相手の識別にMACアドレスを使う

MACアドレスの例

a8:66:7f:04:00:80

ベンダーコード（OUI）
IEEEによって、ネットワーク機器ベンダーごとに割り当てられています。

ベンダー内コード
各ベンダー内部で、ネットワーク機器ごとに割り当てられています。

この組み合わせで、それぞれのMACアドレスは世界で1つだけのものになります。

ネットワーク機器やパソコンのNICには、ベンダーによってそれぞれ異なるMACアドレスが割り当てられています。

関連用語　IPパケット ▶ p.38　NIC ▶ p.70　OSI参照モデル ▶ p.32　ヘッダー ▶ p.30

Chapter **2** イーサネットでのデータのやりとり

05 スイッチング

■ イーサネットのネットワークはスイッチを中心にして作る

イーサネットは「**スイッチ**」と呼ばれるネットワーク機器を中心として、コンピューターを配置していく「スター型トポロジー」という接続形態を採用しています。大きな家電量販店や会社の机の上などで、LAN のインターフェースをたくさん搭載したネットワーク機器を見たことがありませんか？　あれがスイッチです。有線ネットワークであれば、コンピューターは LAN ケーブルや光ファイバーケーブルを経由してスイッチにつながっていると考えてよいでしょう。

■ MAC アドレステーブルを使用してスイッチング

スイッチは、イーサネットフレームが入ってきた「**インターフェース番号**」とそのフレームの「**送信元 MAC アドレス**」をテーブル（対応表）にして一定時間覚えておくことで、不必要なフレーム転送を避け、イーサネットネットワークにおける通信効率の向上を図っています。スイッチの行うフレーム転送のことを「**スイッチング**」、スイッチがスイッチングで使用するインターフェース番号と送信元 MAC アドレスのテーブルのことを「**MAC アドレステーブル**」といいます。スイッチは以下の手順でMAC アドレステーブルを作り、必要なインターフェースにだけイーサネットフレームを転送するようにします。

① イーサネットフレームを受け取ると、その送信元 MAC アドレスと受け取ったインターフェース番号を MAC アドレステーブルに記録します。
② あて先 MAC アドレスが MAC アドレステーブルに載っていれば、それに基づいて転送します。載っていなければ、受け取ったインターフェース番号以外のインターフェースにフレームのコピーを送信します。該当するコンピューターだけがフレームを受け取り、それ以外のコンピューターは破棄します。
③ 以降、イーサネットフレームを受け取るたびに、MAC アドレステーブルを更新します。使用しなくなった情報は、一定時間経過したら削除します。

プラス1 Amazon Web Services や Microsoft Azure などのクラウドサービス上に起動したコンピューターは、スイッチに接続するまでの処理が自動的に行われます。IT 管理者が意識する必要がありません。

イメージでつかもう！

● イーサネットではスイッチを中心にコンピューターを接続する

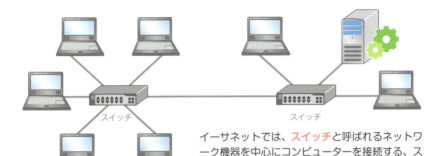

イーサネットでは、**スイッチ**と呼ばれるネットワーク機器を中心にコンピューターを接続する、スター型トポロジーという接続形態をとります。

● LANケーブルか光ファイバーケーブルで接続する

ケーブルの種類	材質	対応距離	通信品質	扱いやすさ	コスト
LANケーブル	銅	短い	低い	扱いやすい	安い
光ファイバーケーブル	ガラス	長い	高い	扱いにくい	高い

● スイッチはMACアドレステーブルを使ってフレームを転送する

スイッチはイーサネットフレームを受け取ると、フレームが入ってきたインターフェース番号と送信元MACアドレスの情報を**MACアドレステーブル**に記録します。使われずに一定時間経過した情報は削除します。

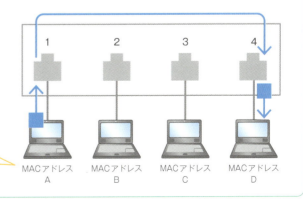

MACアドレス	インターフェース番号
A	1
B	2
C	3
D	4

② MACアドレスDが登録されていたら、4番インターフェースにだけ送信。登録されていなかったら、すべてのインターフェースにフレームのコピーを送信

① MACアドレスがDのコンピューターにイーサネットフレームを送信

関連用語　MACアドレス ▶ p.34　イーサネット ▶ p.34　イーサネットフレーム ▶ p.34

Chapter 2 現在のネットワークを支える中心的なプロトコル

06 IPとIPアドレス

　ネットワーク層で最も重要なプロトコルが「IP(Internet Protocol)」です。現在のネットワークはほぼ間違いなくIPを使用しています。

　IPは、トランスポート層から受け取ったデータ（TCPセグメント、UDPデータグラム）に「IPヘッダー」をくっつけて「IPパケット」にします。IPヘッダーはIPパケットの送り先を示す宅配伝票のようなものです。IPパケットは深海底から山中に至るまで、世界中のありとあらゆるネットワークを経由します。IPヘッダーはそうした環境の差を吸収できるように、たくさんのフィールドで構成されています。

■ IPアドレスでコンピューターを識別する

　IPではOSで設定する「IPアドレス」という識別番号を使用して、コンピューターを識別します。IPアドレスは「192.168.1.1」や「172.16.25.254」のように、32ビットを8ビットずつドットで区切って、10進数で表記します。ドットで区切られたグループのことを「オクテット」と言い、先頭から「第1オクテット」「第2オクテット」……と呼びます。

　IPアドレスは、それ単体で使用するのではなく、「サブネットマスク」という32ビットの値とセットで使用します。IPアドレスは、サブネットマスクで分割した「ネットワーク部」と「ホスト部」の2つで構成されています。ネットワーク部はネットワークそのものを表しています。また、ホスト部はそのネットワークに接続しているコンピューターそのものを表しています。サブネットマスクはこの2つを区切る目印のようなもので、「1」がネットワーク部、「0」がホスト部を表しています。

　サブネットマスクには「10進数表記」と「CIDR表記」という2種類の表記方法があります。10進数表記は、IPアドレスと同じように、32ビットを8ビットずつドットで区切って、10進数で表記します。CIDR表記は、IPアドレスの後ろにスラッシュとサブネットマスクの「1」の個数を付与して表記します。たとえば「172.16.1.1」というIPアドレスに「255.255.0.0」というサブネットマスクが設定されていたら、「172.16.1.1/16」と表記することもでき、「172.16」というネットワークの「1.1」というコンピューターであることがわかります。

> **プラス1** IPには「IPv4」と「IPv6」という2つのバージョンがあります。本書は入門書ということでIPv4のみを取り上げています。IPv6の習得はIPv4を理解してからでも遅くありません。

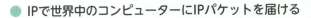
イメージでつかもう！

● IPで世界中のコンピューターにIPパケットを届ける

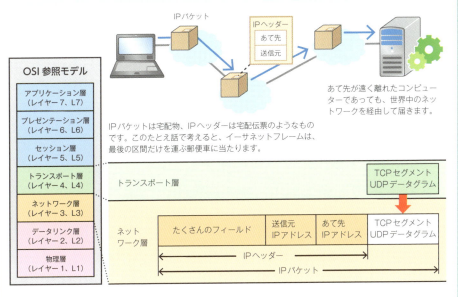

IPパケットは宅配物、IPヘッダーは宅配伝票のようなものです。このたとえ話で考えると、イーサネットフレームは、最後の区間だけを運ぶ郵便車に当たります。

あて先が遠く離れたコンピューターであっても、世界中のネットワークを経由して届きます。

● IPは通信する相手を識別するのにIPアドレスを使う

- IPアドレスはサブネットマスクとセットで使う
- サブネットマスクが「1」の部分がネットワークアドレス、「0」の部分がホストアドレスとなる
- 上の例ではサブネットマスクの「1」が16個あるので、IPアドレスとあわせて172.16.1.1/16と表記する方法もある（CIDR表記）

172.16のネットワーク

1.1のコンピューター　1.2のコンピューター

関連用語　OSI参照モデル ▶ p.32　TCPセグメント ▶ p.46　UDPデータグラム ▶ p.46　パケット ▶ p.30　ヘッダー ▶ p.30

Chapter 2 どこからどこまでを、どのように使うかは決められている

07 いろいろなIPアドレス

IPアドレスは「0.0.0.0」から「255.255.255.255」まで、2の32乗（約43億）個あります。しかし、どこでも好き勝手に使ってよいかと言うと、そういうわけではありません。**使用用途や使用場所によって、どこからどこまでをどのように使ってよいか決められています。**それぞれ説明しましょう。

使用用途による分類

IPアドレスは使用用途に応じて、クラスAからクラスEまでの5つのアドレスクラスに分けることができます。その中で一般的に使用するのはクラスAからクラスCまでです。コンピューターに設定し、1対1の通信（ユニキャスト）で使用します。**この3つのクラスの違いをざっくり言うと、ネットワークの規模の違いです。**クラスA → クラスB → クラスCの順に規模が小さくなります。クラスDとクラスEは特殊な用途で使用し、一般的には使用しません。アドレスクラスの分類は、IPアドレスの32ビットのうち先頭の1～4ビットで行っています。先頭の4ビットによって、使用できるIPアドレスの範囲も必然的に決まってきます。

使用場所による分類

IPアドレスは使用場所に応じて、「**グローバルIPアドレス**」と「**プライベートIPアドレス**」の2つに分類することもできます。

グローバルIPアドレスはインターネットにおいて一意な（他に同じものがない、個別の）IPアドレスです。「ICANN (Internet Corporation for Assigned Names and Numbers)」という民間の非営利法人とその下部組織によって階層的に管理・割り当てされていて、自由に割り当てることはできません。

それに対して、**プライベートIPアドレスは組織や家庭などのLANで自由に割り当ててよいIPアドレスです。**クラスAだったら「10.0.0.0 ～ 10.255.255.255」、クラスBだったら「172.16.0.0 ～ 172.31.255.255」、クラスCだったら「192.168.0.0 ～ 192.168.255.255」というように、アドレスクラスごとに範囲が決められています。

プラス1 IPアドレスにはホスト部がすべて「0」の「ネットワークアドレス」や、ホスト部がすべて「1」の「ブロードキャストアドレス」など、コンピューターに設定できないものもあります。

イメージでつかもう！

● IPアドレスは用途と場所で分類される

IPアドレスは0.0.0.0～255.255.255.255まであリますが、使用用途や使用場所によって分類されます。

使用用途による分類

クラス	先頭の4ビット	アドレスの範囲
クラスA	0XXX	0.0.0.0 ～ 127.255.255.255
クラスB	10XX	128.0.0.0 ～ 191.255.255.255
クラスC	110X	192.0.0.0 ～ 223.255.255.255
クラスD	1110	224.0.0.0 ～ 239.255.255.255
クラスE	1111	240.0.0.0 ～ 255.255.255.255

コンピューターに設定するのはクラスA～クラスCの範囲

クラスDとクラスEは特殊用途で使用

クラスA（通信事業者など） ＞ クラスB（大企業など） ＞ クラスC（中小企業や家庭など）

クラスA → クラスB → クラスCの順にネットワークの規模が小さくなる

使用場所による分類

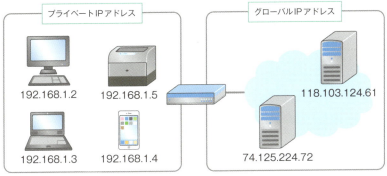

プライベートIPアドレス: 192.168.1.2, 192.168.1.5, 192.168.1.3, 192.168.1.4
グローバルIPアドレス: 118.103.124.61, 74.125.224.72

企業や家庭などで自由に使ってよいアドレス。その範囲で重複しないようにする

インターネット上で一意なアドレス。ICANNとその下部組織が管理・割り当てを行っている。好き勝手に使ってはいけない

プライベートIPアドレスは、クラスごとに決められた範囲を使用できます。

クラス	アドレスの範囲	サブネットマスク
クラスA	10.0.0.0 ～ 10.255.255.255	255.0.0.0
クラスB	172.16.0.0 ～ 172.31.255.255	255.240.0.0
クラスC	192.168.0.0 ～ 192.168.255.255	255.255.0.0

関連用語　IP ▶p.38　NAT/NAPT ▶p.50　公開サーバー ▶p.108

Chapter **2**　IP アドレスに基づいて目的地へパケットを転送する

08 ルーティング

■ ルーターでネットワークをつなぐ

　イーサネットで作ったネットワークとネットワークをつなぐときに使用するネットワーク機器が「ルーター」です。インターネットで Web サイトを見ているうちに、いつの間にか海外の Web サイトに飛んでいたことがありませんか。インターネットは、たくさんのルーターが網目状にネットワークをつなぐことによって成り立っています。ルーターは、IP パケットをバケツリレーして、えっさほいさと目的地へと届けます。このバケツリレーのことを「ルーティング」といいます。最も身近にあるルーターといえば、家電量販店に並んでいる Wi-Fi ルーターでしょう。Wi-Fi ルーターは、家庭のネットワークとインターネットという大きなネットワークを接続しています。

■ ルーティングテーブルで IP パケットを転送

　ルーターはあらかじめ作っておいた「ルーティングテーブル」を利用して IP パケットの受け渡し先を管理しています。ルーティングテーブルは「宛先ネットワーク」と、その宛先ネットワークに対する送り先の IP アドレスである「ネクストホップ」で構成されています。ルーターは IP パケットを受け取ると、そのパケットのあて先 IP アドレスとルーティングテーブルのあて先ネットワークを照合します。あて先 IP アドレスがあて先ネットワークにヒットしたら、ネクストホップの IP アドレスにパケットを転送します。ヒットしなかったら破棄します。

　ルーティングテーブルは「静的ルーティング」と「動的ルーティング」という、2 種類の方法で作ることができます。**静的ルーティングは、手動でルーティングテーブルを作る方法です。**あて先ネットワークとネクストホップを 1 つひとつ設定します。設定や管理がしやすいため、小規模なネットワーク環境でよく使用されています。対する**動的ルーティングは、隣接するルーター間でルート情報を交換して、自動的にルーティングテーブルを作る方法です。**ルート情報を交換するためのプロトコルを「ルーティングプロトコル」といいます。ネットワーク環境の変化に対応しやすいため、中規模から大規模なネットワーク環境でよく使用されています。

> プラス **1**　ルーター以外にルーティングが得意なネットワーク機器が「L3（レイヤー 3）スイッチ」です。L3 スイッチはパケット転送をハードウェアで行うことによって処理の高速化を図っています。

イメージでつかもう！

● インターネットはルーターの集まり

インターネットでは、たくさんのルーターが網目状に接続されていて、IPパケットをルーティングしています。

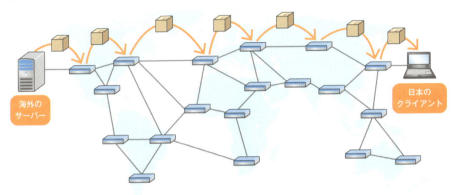

● ルーターの働き

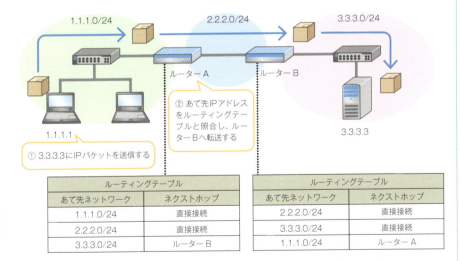

ルーターでは、あらかじめ「ルーティングテーブル」を作っておく必要があります。
ルーティングテーブルを作る方法には、手動で設定する「静的ルーティング」と、自動で設定される「動的ルーティング」があります。

関連用語　IPアドレス ▶p.38　IPパケット ▶p.38　プロトコル ▶p.30

Chapter 2 あて先の MAC アドレスを知るための仕組み

09 ARP

MAC アドレスはコンピューターの NIC に自動で割り当てられる物理的なアドレスです。それに対して、IP アドレスは OS で設定する論理的なアドレスです。2 つのアドレスは、別々に利用されるのではなく、協調して利用される必要があります。この 2 つのアドレスを協調して利用できるように、物理と論理の架け橋的な役割を果たしているのが「ARP（Address Resolution Protocol）」です。

物理と論理の架け橋と言うと、何となく難しそうな感じがしますが、実際にやっているのは IP アドレスと MAC アドレスの関連付けだけです。コンピューターはネットワーク層から受け取った IP パケットをイーサネットフレームにして、ケーブルに流す必要があります。しかし、IP パケットを受け取っただけでは、イーサネットフレームを作るための情報が不足しています。送信元 MAC アドレスは自分自身の NIC に割り当てられている MAC アドレスなのでわかりますが、あて先 MAC アドレスがわかりません。そこで、ARP を使用して、IP アドレスから MAC アドレスを求めます。

ARP の処理の流れ

データを送信するコンピューターがネットワーク層から IP パケットを受け取ると、パケットのあて先 IP アドレスを見ます。それが同じネットワークにいるコンピューターのものだったら、その IP アドレスを ARP で問い合わせ（**ARP リクエスト**）、その応答結果（**ARP リプライ**）を「**ARP テーブル**」と呼ばれるメモリ上のテーブルに登録し、その情報をもとにイーサネットフレームを作ります。また、異なるネットワークのコンピューターのものだったら、デフォルトゲートウェイの MAC アドレスを ARP で問い合わせ、同様の処理を行います。デフォルトゲートウェイとは、自分以外のネットワークに行くときに使用する出口の IP アドレスです。ファイアウォールやルーターの IP アドレスがデフォルトゲートウェイになることが多いでしょう。自分が知らないネットワークのあて先 IP アドレスを持つ IP パケットだったら、とりあえずデフォルトゲートウェイの MAC アドレスに送信しようとします。

> **プラス 1** 同じネットワークにいるすべてのコンピューターに対する通信を「ブロードキャスト」といいます。ARP リクエストはブロードキャストで送信されます。

イメージでつかもう！

● MACアドレスとIPアドレスの違い

MACアドレスはコンピューターのNICに割り当てられている**物理的**なアドレスです。
IPアドレスはOSに設定する**論理的**なアドレスです。

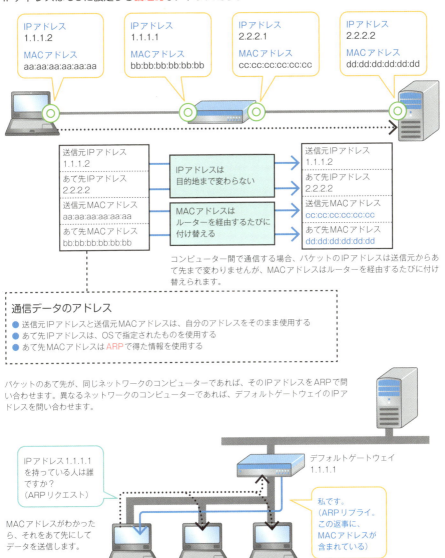

| 関連用語 | IPアドレス ▶p.38　IPパケット ▶p.38　MACアドレス ▶p.34　NIC ▶p.70　イーサネットフレーム ▶p.34 ネットワーク層 ▶p.32 |

> **Chapter 2** トランスポート層のプロトコルにはこの 2 つのどちらかを使う

10 TCPとUDP

トランスポート層は、通信制御とサービスの識別を行うレイヤーです。トランスポート層ではアプリケーションが求める通信要件を「**信頼性**」と「**即時性（リアルタイム性）**」の 2 つに分類し、それぞれにプロトコルを用意しています。

データを大事に、しっかりやりとりしたいときには「**TCP(Transmission Control Protocol)**」を使用します。TCP は通信するコンピューター同士が「送りました」「届きました」とお互いに確認のメッセージを送り合いながら、データをやりとりすることによって、通信の信頼性を高めています。Web やメール、ファイル共有など、データを取りこぼしたくないようなサービスは TCP を使用しています。TCP は上位層から受け取ったアプリケーションデータに、TCP ヘッダーをくっつけて、「TCP セグメント」にします。

それに対して、データの信頼性はさて置き、とにかく早く送りたいときには「**UDP(User Datagram Protocol)**」を使用します。UDP はデータを送ったら送りっぱなしなので、信頼性はありませんが、確認応答の手順を省くことによって、通信の即時性を高めています。IP 電話や動画配信、時刻同期など、何よりリアルタイム性を必要とするサービスは UDP を使用しています。UDP は上位層から受け取ったアプリケーションデータに、UDP ヘッダーをくっつけて、「UDP データグラム」にします。

■ ポート番号でサービスを識別する

TCP と UDP は「ポート番号」という数字を利用して、コンピューターの中のどのサービスにデータを渡せばよいかを識別しています。ポート番号は「0 ～ 65535」（16 ビット分）までの数字で、範囲によって用途が決められています。

「0 ～ 1023」は「**ウェルノウンポート**」といい、Web サーバーやメールサーバーなど、一般的なサーバーソフトウェアがクライアントのサービス要求を待ち受けるときに使用します。「1024 ～ 49151」は「**レジスタードポート**」といい、主にメーカー独自のサーバーソフトウェアがクライアントのサービス要求を待ち受けるときに使用します。「49152 ～ 65535」は「**ダイナミックポート**」といい、サーバーがクライアントソフトウェアを識別するために使用します。

46

イメージでつかもう！

● TCPは信頼性、UDPは即時性を重視する

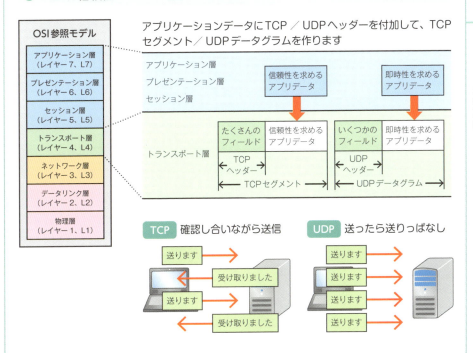

● データをどのサービスに渡すかはポート番号で識別する

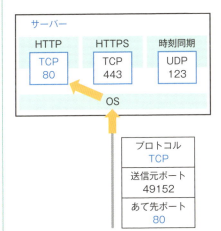

ポート番号の範囲	ポートの分類	説明
0～1023	ウェルノウンポート	一般的なサーバーソフトウェアで使用
1024～49151	レジスタードポート	メーカー独自のサーバーソフトウェアで使用
49152～65535	ダイナミックポート	クライアント側でランダムに使用

Webサーバー（HTTP）の場合、TCPのポート80番でクライアントからのサービス要求を待ち受けています。あて先ポートがTCPのポート80番のデータが届いたら、Webサーバーソフトウェアに渡します。

関連用語　HTTP ▶ p.116　HTTPS ▶ p.118　IP電話 ▶ p.96　Webサーバー ▶ p.114　時刻同期 ▶ p.184
ヘッダー ▶ p.30　メールサーバー ▶ p.100

Chapter **2** コンピューター上の特定のアプリケーションにデータを届ける仕組み

11 ポート番号の使い方

ポート番号は、コンピューターの中で動作しているアプリケーションを識別するために使用する数字です。具体的にどのように使用するのか、Web クライアントが Web サーバーにアクセスする場合を例に、詳しく説明します。

■ クライアントからサーバーに対する接続（リクエスト）

① Web クライアントは Web ブラウザが作ったリクエストデータを受け取ると、**送信元ポート番号にダイナミックポートの中からランダムに選択した数字を、あて先ポート番号に Web サービスを表す「80」を入れて、TCP セグメントにします。**

② Web クライアントは IP とイーサネットの処理を行い、Web サーバーに転送します。

③ Web サーバーはイーサネットと IP の処理を行い、あて先ポート番号をチェックします。あて先ポート番号は「80」です。80 番は Web サービスを表すウェルノウンポートなので、Web サービスを提供するサーバーソフトウェアにリクエストデータを渡します。サーバーソフトウェアはクライアントのリクエストに対する処理を行い、レスポンスデータを作ります。

■ サーバーからクライアントに対する接続（レスポンス）

① Web サーバーはサーバーソフトウェアからレスポンスデータを受け取ると、送信元ポート番号に Web サービスを表す「80」を、あて先ポート番号に受け取った TCP セグメントの送信元ポート番号を入れて、TCP セグメントにします。

② Web サーバーは IP とイーサネットの処理を行い、Web クライアントに転送します。

③ Web クライアントはイーサネットと IP の処理を行い、あて先ポート番号をチェックします。**あて先ポート番号は自分で割り当てたポート番号なので、それに紐づくクライアントソフトウェア、つまり Web ブラウザにデータを渡します。**

プラス1　送信元ポート番号の範囲は使用する OS によって異なります。たとえば、Windows OS の場合は「49152 〜 65535」、Linux OS の場合は「32768 〜 61000」です。

イメージでつかもう！

● リクエストとレスポンスの流れを見てみよう

クライアントからの接続（リクエスト）とサーバーからの応答（レスポンス）で、送信元とあて先のポート番号は逆になります。

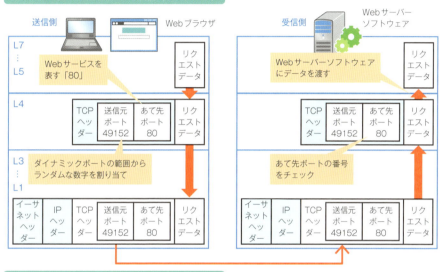

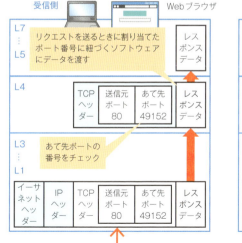

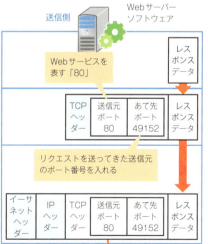

関連用語　IP ▶ p.38　TCPセグメント ▶ p.46　Webサーバー ▶ p.114　イーサネット ▶ p.34
　　　　　ウェルノウンポート ▶ p.46　ダイナミックポート ▶ p.46

Chapter 2 　LAN とインターネットをつなぐ機器で IP アドレスを変換する

12 NATとNAPT

　企業や家庭の LAN で使用するプライベート IP アドレスを、インターネットで使用するグローバル IP アドレスに変換する技術が「NAT(Network Address Translation)」 と「NAPT(Network Address Port Translation)」 です。NAT と NAPT の処理は、LAN とインターネットをつなぐルーターやファイアウォールで行います。

■ NAT は IP アドレスを 1 対 1 で変換する

　NAT はプライベート IP アドレスとグローバル IP アドレスを 1 対 1 に紐づけて変換します。 NAT は LAN からインターネットに接続するときには、送信元 IP アドレスを変換します。逆にインターネットから LAN に接続するときには、あて先 IP アドレスを変換します。

■ NAPT は IP アドレスとポート番号を変換する

　NAPT はプライベート IP アドレスとグローバル IP アドレスを n 対 1 に紐づけて変換します。 NAPT は LAN からインターネットにアクセスするときに、送信元 IP アドレスだけでなく送信元ポート番号も変換することによって、n 対 1 の変換を実現しています。以下では、LAN にいるクライアントがインターネットにあるサーバーと通信することを例に、NAPT の処理を具体的に説明します。

① ルーターはクライアントから受け取ったパケットの送信元 IP アドレスをプライベートIPアドレスからグローバルIPアドレスに変換します。あわせて、送信元ポート番号も変換し、その変換情報を記憶したうえでサーバーに転送します。

② サーバーはクライアントからパケットを受け取り、その処理結果をクライアントに返します。

③ ルーターは受け取ったパケットのあて先 IP アドレスとあて先ポート番号を①で作った変換情報に基づいて元に戻し、クライアントに返します。

プラス 1 　広義の NAT/NAPT は、グローバル IP アドレス、プライベート IP アドレスにかかわらず、IP アドレスを変換する技術全般を表しています。

イメージでつかもう！

● NATとNAPTの違い

NATとNAPTは、プライベートIPアドレスをグローバルIPアドレスに変換する技術です。

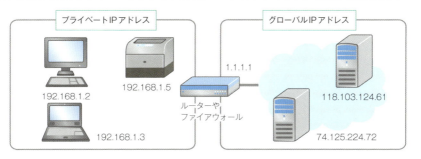

NATは1つのプライベートIPアドレスと1つのグローバルIPアドレスを紐づけます。サーバーをインターネットに公開するときに使用します。

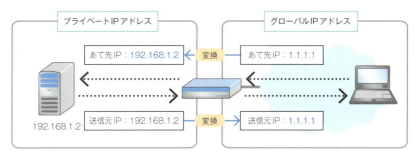

NAPTはIPアドレスだけでなくポート番号も使用することで、1つのグローバルIPアドレスで複数のプライベートIPアドレスを変換できます。
LANにいるたくさんのコンピューターからインターネットへ接続するときなどに使用します。

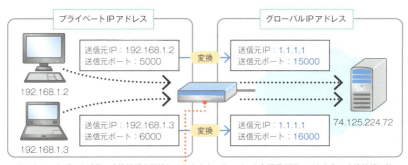

IPアドレスとポート番号の変換情報を記憶しておきます。サーバーから返信が返ってきたら、変換情報に基づき送信元のクライアントに返します。

関連用語　グローバルIPアドレス ▶ p.40　公開サーバー ▶ p.108　ファイアウォール ▶ p.154
　　　　　プライベートIPアドレス ▶ p.40　ポート番号 ▶ p.46　ルーター ▶ p.42

COLUMN

パケットキャプチャで知る
奥深きネットワークの世界

　インターネットをしているとき、自分のパソコンやスマホとサーバーとの間でいったいどんなデータが流れているんだろう、と不思議に感じたことはありませんか？　少なからず IT に関わるエンジニアであれば、一度は感じたことがある疑問かもしれません。一見難しそうに思えるこの疑問ですが、実は「Wireshark」というフリーのソフトウェアを使えば、簡単に解決できます。

　ネットワークを流れるデータ、つまりパケットを取得（キャプチャ）することを「パケットキャプチャ」、それができるソフトウェアのことを「パケットキャプチャソフト」といいます。パケットキャプチャソフトの中で最も有名なものが Wireshark です。Wireshark は、フリー（無料）であるにもかかわらず、簡単にパケットキャプチャできるだけでなく、いろいろな解析機能も備えているため、現場でもかなり重宝します。ある程度経験を積んだエンジニアであれば、最初にインストールするソフトウェアのひとつだったりもするでしょう。

　もちろん、キャプチャしたパケットの中身を理解するのは、初学者の方にはまだかなり難しいかもしれません。しかし、「ネットワークって、こんなのが流れているんだなー…」とざっくり眺めるだけでも、ネットワークの仕組みを肌で感じられるはずです。何事も案ずるより産むが易しです。とりあえず自分のパソコンに Wireshark をインストールしてみて、やりとりされているパケットを眺めてみましょう。

Chapter

3

サーバーを用意する

一口にサーバーと言っても、いろい
ろなタイプのサーバーがあります。
本章では、いざサーバーが必要に
なったとき、どこにどんなサーバー
を選択すればよいのか、いろいろな
側面から解説します。

Chapter 3 「どこに」「どんな」の観点から整理して考える

01 どのサーバーを 利用するかを選ぶ

どこにある、どんなコンピューターにサーバーソフトウェアをインストールするか。これは、サーバーの拡張性や保守性、運用管理性に関わるとても大きな問題です。**システム構築の初期段階で行う1つひとつの選択が、システム全体の未来を決めると言っても過言ではありません。**

最近は以前と比較して、コンピューターのタイプが多種多様になり、その分だけ選択肢の幅が広がりました。しかし、どんな選択肢にもメリットとデメリットがあります。それぞれの選択肢のメリットとデメリットを理解し、システムにとって、そしてIT管理者にとって、最適なコンピューターとは何なのかをしっかり見極めていく必要があるでしょう。

本書ではサーバーソフトウェアが動作するために必要なコンピューターのタイプについて、「どこに」「どんな」という2つの観点から、それぞれ以下のように掘り下げて説明していきます。

■ どこにサーバーを設置するか

① 運用形態 ～ オンプレミス（自社運用）／クラウド（クラウド運用）
② 設置場所（オンプレミスの場合）～ 自社設置／データーセンター設置

■ どんなサーバーを設置するか

① 物理サーバーの種類（オンプレミスの場合）～ タワー型／ラックマウント型／ブレード型
② 仮想化／コンテナ化の導入 ～ 物理サーバー／仮想マシン（仮想サーバー、Virtual Machine、VM）／コンテナ
③ ハードウェアスペック ～ CPU ／メモリ／ストレージドライブ／ NIC
④ OSの種類 ～ Windows系サーバーOS ／ Linux系サーバーOS
⑤ サービスの提供形態 ～ アプライアンスサーバー（単機能）／汎用サーバー

各キーワードの詳細については、次節以降で説明していきます。

> **プラス1** サーバーは離合集散を繰り返すことによって、進化を遂げています。ここ最近はハードウェアの高性能化や仮想化技術の登場などによって、集約化の流れにあります。

イメージでつかもう！

● どこにどんな形でサーバーを設置する？

どこにある、どんなコンピューターにサーバーソフトウェアをインストールするかが、サーバーの拡張性や保守性、運用管理性に大きく関わります。
それぞれのメリット、デメリットをしっかり見極めることが大切です。

3 サーバーを用意する

どこにサーバーを設置するか

● サーバーの運用を自社で行う？クラウドサービスに任せる？

自社で運用　　　　　　クラウドサービス事業者が運用

● 自社運用の場合、設置場所はどうする？

自社内に設置　　　　　データセンター内に設置

どんなサーバーを設置するか

● 物理サーバーの場合、形状はどうする？

タワー型　　　　ラックマウント型　　　　ブレード型

● 物理サーバーではなく、仮想マシンやコンテナを使う？

● （物理でも仮想でも）サーバーのハードウェアスペックはどうする？

● （物理でも仮想でも）サーバーのOSは何にする？

● 単機能サーバーにする？汎用サーバーにする？

Windows
Linux

アプライアンスサーバー

関連用語　サーバーソフトウェア ▶ p.18

55

| Chapter **3** | 自社で設備を保有するか、外部に任せるか |

02 オンプレミス型とクラウド型

　サーバーの運用形態は、自社で運用する「**オンプレミス型**」とクラウドサービスを利用して運用する「**クラウド型**」に大別できます。

　「オンプレミス型」は、自社で保有する設備でシステムを運用管理していく、いわゆる従来からあるシステム運用形態です。オンプレミス型はネットワーク機器もサーバーも自社のものなので、思いどおりに構成を組むことができ、既存のシステムとも柔軟に連携することができます。また、いざトラブルが起きたときにも、状況を把握しやすく、トラブルシューティングしやすいという特徴があります。しかし、機器やライセンス、設置スペースなど、すべての設備を自分たちで調達する必要があるため、コストがかかるだけでなく、実際に運用に至るまでに時間がかかります。

　「クラウド型」は、クラウドサービス事業者が保有する設備でシステムを運用管理していくシステム運用形態です。クラウドサービス事業者が持つ設備にシステムを構築するので、調達にも構築にも時間がかかりません。また、サーバーのスペックを臨機応変に変えることができるため、いろいろなスペック要件に対応しやすいという特徴があります。しかし、クラウドという限られた枠組みの中でしか構成を組むことができず、その枠組みを超えた柔軟な構成は実現できません。また、いざクラウドサービス自体にトラブルが起こったときに、クラウドサービス事業者任せになってしまう部分が多いため、いろいろな状況を把握できず、トラブルシューティングがしづらいという側面もあります。

　さて、クラウド型の運用形態が登場した当初は、世の中猫も杓子もクラウドで、どんどんクラウドへの移行が進みました。しかし、時間が経過するとともに、上に述べたようなクラウド型の問題が浮き彫りになってきました。そこで、新たに生まれた運用形態が「**ハイブリッドクラウド型**」です。ハイブリッドクラウド型は、**社内にあるオンプレミス環境とクラウドサービス事業者内にあるクラウド環境を「VPN (Virtual Private Network)」と呼ばれる仮想的な専用線で接続し、2つのよいところを上手に生かします**。たとえば、既存システムと連携が必要なシステムはオンプレミス環境に配置し、その必要がないシステムはクラウド環境に配置して運用します。

| プラス1 | 複数のクラウド環境を組み合わせる「マルチクラウド型」という形態もあります。マルチクラウド型は、1つのクラウド環境に障害が発生しても、もう片方でサービスを継続できます。 |

イメージでつかもう！

● サーバーの運用形態

サーバーの運用形態には、自社で運用する「オンプレミス型」とクラウドサービスを利用して運用する「クラウド型」の2種類があります。両者をつなぐのが「ハイブリッドクラウド型」です。

オンプレミス型

自社で保有する設備でシステムを運用管理する、従来型の形態です。

メリット
- 思いどおりの構成を組むことができる
- 既存のシステムと連携しやすい
- トラブルの状況が把握しやすく、トラブルシューティングしやすい

デメリット
- すべての設備を自分たちで調達しなくてはならない
- コストがかかり、実運用までに時間がかかる

自社のオフィススペースやサーバールーム、データーセンターにサーバーを設置します。

クラウド型

クラウドサービス事業者が保有する設備でシステムを運用管理する形態です。

メリット
- 設備の調達や構築に時間がかからない
- 臨機応変にサーバーのスペックを変更できる

デメリット
- クラウドサービス事業者が提供するサービスの範囲でしか構成が組めない
- クラウドサービス自体に障害が発生すると、クラウドサービス事業者任せになる部分が多く、トラブルシューティングがしづらい

サーバーなどのリソースを、すべてサービスとして利用します。

ハイブリッドクラウド型

オンプレミス環境とクラウド環境を、VPNでつなぐ形態です。

VPNで接続

関連用語　VPN ▶ p.132　クラウドサービス ▶ p.58　自社運用 ▶ p.60　トラブルシューティング ▶ p.182

Chapter **3** 用途や目的に応じてクラウドサービスを使い分ける

03 クラウドサービスの種類

　クラウドサービスは、運用管理コストの削減や構築スピードの向上など、たくさんのメリットをもたらします。クラウドサービスの形態は、「IaaS」「PaaS」「SaaS」の３つに大別されます。それぞれについて説明していきます。

▮ IaaS（Infrastructure as a Service）

　IaaS は、CPU やメモリ、OS など、コンピューターのインフラ（基盤）を提供するタイプのクラウドサービスです。Amazon Web Services（AWS）の EC2 や Microsoft Azure の Virtual Machines がこれに該当します。システム管理者は管理画面で、CPU 数やメモリ容量、ストレージ容量や OS など、インフラ的な要素を選択します。すると、OS だけがインストールされた空のコンピューター（インスタンス）が提供されます。その後、必要なソフトウェアを自分でインストールします。

▮ PaaS（Platform as a Service）

　PaaS は、アプリケーションを実行するための環境（プラットフォーム）を提供するタイプのクラウドサービスです。AWS の RDS（Relational Database Service）や Azure の App Service がこれに該当します。システム管理者は管理画面で、使用したいプログラミング言語やデータベースの種類など、アプリケーション的な要素を選択します。また、必要に応じてインフラ的な要素も選択します。すると、指定したアプリケーションを実行する環境が提供されます。

▮ SaaS（Software as a Service）

　SaaS はソフトウェア（サービス）を提供するタイプのクラウドサービスです。システム管理者はクラウド上のソフトウェアをサービスとして利用します。利用者は用意された URL にアクセスし、Web ブラウザからサービスを使用します。Gmail や Google マップをイメージするとわかりやすいでしょう。IaaS や PaaS はインフラやアプリケーションの実行環境を考慮する必要がありますが、SaaS はその部分すらクラウドサービス事業者に任せられるため、管理効率が大幅に向上します。

プラス 1　IaaS → PaaS → SaaS の順に管理すべきものが少なくなり、管理が楽になります。しかし、その分設定範囲も少なくなり、柔軟性を失うことも認識しておきましょう。

イメージでつかもう！

● 3形態のクラウドサービス

クラウドサービスの形態は「IaaS」「PaaS」「SaaS」の3つに大別されます。

IaaS（Infrastructure as a Service）

IaaSは、CPUやメモリ、ストレージドライブやOSなど、インフラを提供します。

システム管理者が管理画面からインフラ構成を選択

CPUコア数：4
メモリ：16GB
ストレージ：40GB
OS: Ubuntu

コンピューター（インスタンス）が提供される

必要なソフトウェアをインストールします。

PaaS（Platform as a Service）

PaaSはインフラだけでなく、アプリケーションを実行するための環境を提供します。

システム管理者が管理画面から実行環境の種類やインフラ構成などを選択

DBタイプ：MySQL
DBクラスターID: db-1
DBユーザー名：admin
DBパスワード：pass

CPUコア数：8
メモリ：32GB

アプリケーションを使用できる環境が提供される

環境を使うだけ。インフラ部分のメンテナンスはクラウドサービス事業者任せです。

SaaS（Software as a Service）

SaaSはソフトウェア（サービス）を提供します。

システム管理者が機能設定やユーザー設定を実施

通常のソフトウェアのように利用

必要なソフトウェア機能だけをサービスとして提供

サービスを提供するために動作しているサーバーやソフトウェアのことを気にする必要はありません。

関連用語　CPU ▶ p.70　クラウド型 ▶ p.56　ストレージドライブ ▶ p.70　データベース ▶ p.126　メモリ ▶ p.70

Chapter 3　自社運用のときのサーバーの設置場所は2パターン

04　自社かデータセンターか

　オンプレミス型の運用形態を選択した場合、次はそのシステムをどこに設置するかを考える必要があります。設置場所として考えられるのは「自社サーバールーム」か「データセンター」です。自社サーバールームはオフィスの一部を割り当てたサーバー専用の部屋です。データセンターは顧客のIT資産を預かり、いろいろなサービスを提供する専用施設のことです。どちらに設置すべきかは「設備」や「コスト」「駆けつけ対応」など、いくつかの要素によって決めていきます。

■ データセンターは設備が充実している

　自社サーバールームはあくまでオフィススペースの一部です。サーバーやネットワーク機器を設置するためには、**電源設備や空調設備、耐震設備やセキュリティ設備など、サーバーを継続的、かつ安定的に運用するために必要な設備をそれ相応に強化する必要があります**。一方、データセンターはそのあたりの設備がすでに強化、最適化されていて、いちいち気にする必要はありません。

■ コストは場合によりけりなので、まずは算出して比較

　データセンターに設置すると「ラック利用料」だけでなく「電源利用料」や「インターネット回線料」「保守・運用管理料」など、データセンター特有の料金が加算されてきます。選定するときは、**自社サーバールームの運用で実際にどれくらいのコストがかかっているかを算出し、合計金額を比較します**。

■ データセンターにはすぐには駆けつけ対応できない

　データセンターは、「都市型」と「郊外型」の2つに大別できます。都市部にあるデータセンターが「都市型」、都市部から離れたところにあるデータセンターが「郊外型」です。**都市型ならまだしも、郊外型となると、緊急時にすぐに駆けつけ、対応するのは物理的に不可能です**。一方、自社サーバールームは自社オフィスの中なので、よほどのことがないかぎり、すぐに駆けつけ、即対応することができます。

プラス1　データセンター内の通路は、冷却効率を上げるために、サーバーが吸引する冷気を集めた「コールドアイル」と、廃熱を集めた「ホットアイル」に分けられています。

イメージでつかもう！

● サーバーの設置環境の必要性

サーバーは、メンテナンスのときを除いて、いつでも利用できるように稼働している必要があります。そのため、物理的な観点からトラブルに備えておきます。
サーバーの設置場所として、自社のサーバールームとデータセンターのどちらにするかを検討します。

検討すべきこと	理由
熱対策	サーバー内の温度が上がりすぎるとサーバーがダウンするため、温度管理できる場所や空調設備が必要
電源対策	サーバーに必要な電力を安定的に供給するために、停電対策や電源容量・電源系統の管理が必要
地震対策	地震でサーバーが転倒することのないよう、耐震・免震のための設備が必要
セキュリティ対策	サーバーの重要なデータを第三者に触られないよう、施錠や入退室管理ができる場所が必要

● 自社サーバールーム

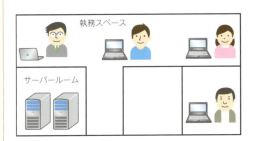

メリット
● サーバーに何かあったときに、すぐに対応できる

デメリット
● 電源設備や空調設備、耐震設備やセキュリティ設備などを、自社で用意する必要がある

● データセンター

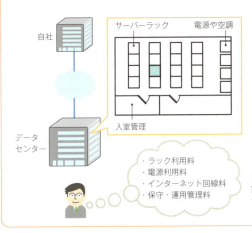

メリット
● 電源設備や空調設備、耐震設備などが整えられていて、自社で用意する必要がない

デメリット
● 特に郊外型の場合、サーバーに何かあってもすぐに駆けつけて対応することができない
● データセンター特有の料金がかかる

自社サーバールームにかける費用もまちまちです。実際にどれくらいコストがかかるか計算し、データセンターの料金と比較します。

3 サーバーを用意する

関連用語　オンプレミス型 ▶ p.56　トラブルシューティング ▶ p.182

61

Chapter 3 仮想化のメリットとデメリットを知っておこう

05 サーバーを仮想化するかしないか

■ サーバー仮想化は管理的なメリットが大きい

　サーバー仮想化は、1台のサーバーをたくさんのサーバーに分割して利用する技術です。「**仮想化ソフトウェア**」と呼ばれる専用のソフトウェアを利用して、ハードウェア（CPU、メモリ、ストレージドライブ、NIC）を仮想ハードウェア（仮想CPU、仮想メモリ、仮想ストレージドライブ、仮想NIC）として論理的に分割し、OSに割り当てることによって、サーバーの分割を実現しています。サーバー仮想化によってできるサーバーのことを「**仮想マシン（VM）**」、または「**仮想サーバー**」といいます。

　サーバー仮想化は、物理的に何台ものサーバーを1台に集約して設置スペースのスリム化を図れたり、「**ライブマイグレーション機能**」や「**フォールトトレランス機能**」によって別のサーバーに仮想マシンを移動できたりと、システム管理者にとってコスト以上に余りあるメリットをもたらすこともあって、爆発的に普及しました。サーバー仮想化は、今や一時のブームを超え、システムになくてはならないものとして定着しています。

■ サーバー仮想化はパフォーマンスの劣化を考慮する

　一見万能とすら思えるサーバー仮想化にも、もちろんデメリットが存在します。中でもサービスに直接影響してくるものといえば「**パフォーマンス（処理性能）の劣化**」です。仮想化ソフトウェアは、仮想マシンにおけるいろいろなハードウェア処理を疑似的に実行しています。その処理が不要な仮想化していないサーバーと比較して、その分だけパフォーマンスが落ちてしまうのは、致しかたありません。こればかりは割り切るしかありません。仮想化によるパフォーマンス劣化の影響をしっかりと見極め、その影響を加味したスペックを持つハードウェアを選定するようにしましょう。また、データベースサーバーのようにパフォーマンスが要求されるサーバーや、時刻合わせに使用するNTPサーバーのように即時性が要求されるサーバーは**むやみやたらに仮想化せず、物理サーバーとして構築し、システム全体としてのパフォーマンス劣化を防ぎましょう。**

> **プラス1** サーバー仮想化の持ついろいろな機能を支えているのはネットワークです。サーバーを仮想化するときは、可能なかぎり多めにNICを搭載しておくようにしましょう。

イメージでつかもう！

● ハードウェアを論理的に分割する

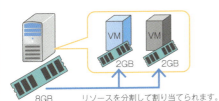

サーバー仮想化では、仮想化ソフトウェアを使用して、物理サーバーのハードウェアを論理的に分割して利用します。

● サーバー仮想化のさまざまなメリット

物理的なサーバーの台数を減らし、設置スペース削減できる

サーバー台数が減るので、電力消費も減らせます。

余りがちなCPUやメモリなどのリソースを有効活用できる

ライブマイグレーション

物理サーバーを稼働させたまま、仮想マシンを別の物理サーバーへと移動できる機能です。

フォールトトレランス

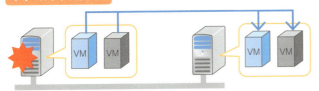

ある仮想マシンのコピーを別の物理サーバーに配置しておきます。元の仮想マシンに障害があったときは、コピーがサービスを引き継ぎます。

関連用語　CPU ▶p.70　NIC ▶p.70　NTPサーバー ▶p.184　仮想化ソフトウェア ▶p.64
ストレージドライブ ▶p.70　データベースサーバー ▶p.126　メモリ ▶p.70

Chapter 3 ハードウェア上で動作するものと OS 上で動作するもの

06 仮想化ソフトウェアの種類

サーバーを仮想化するために必要なソフトウェアが仮想化ソフトウェアです。仮想化ソフトウェアは、仮想化ソフトウェアがアプリケーションソフトウェアの1つとして動作する「**ホスト OS 型**」と、OS として動作する「**ハイパーバイザー型**」に大別できます。

■ ホスト OS 型の仮想化ソフトウェア

ホスト OS 型は、通常の OS（ホスト OS）にインストールした仮想化ソフトウェアの上で仮想マシン（ゲスト OS）を動作させる仮想化技術です。ヴイエムウェアの VMware Player やオラクルの VirtualBox などがこのタイプに当たります。

ホスト OS 型の仮想化ソフトウェアはパソコンにも簡単にインストールでき、お手軽に利用できるため、ちょっとした検証環境の構築にはもってこいです。しかし、仮想化ソフトウェアだけでなく、ホスト OS も動作しないといけないため、その分 CPU やメモリを余計に消費します。また、仮想マシンは、仮想化ソフトウェアとホスト OS を介してハードウェアを使用しないといけないため、処理遅延が大きく、実際のユーザーにサービスを提供する本番環境に適しているとは言えません。

■ ハイパーバイザー型の仮想化ソフトウェア

ハイパーバイザー型は、サーバーに直接インストールした仮想化ソフトウェア上で、仮想マシンを動作させる仮想化技術です。ヴイエムウェアの vSphere やオープンソースの KVM、マイクロソフトの Hyper-V などがこのタイプに当たります。ハイパーバイザー型の仮想化ソフトウェアには、ホスト OS 型にあるような、ホスト OS とゲスト OS の概念はありません。すべての仮想マシンが「**ハイパーバイザー**」と呼ばれる制御プログラムの上で並列に動作します。

ハイパーバイザー型の仮想化ソフトウェアは、ハードウェア上で直接動作するため、ホスト OS 型のように余計に CPU やメモリを消費することはありません。また、仮想マシンは仮想化ソフトウェアだけを介してハードウェアを使用できるため、ホスト OS 型よりも処理遅延が小さく、本番環境でも一般的に使用されています。

プラス 1 クラウドサービス上にある多くのコンピューター（インスタンス）も、クラウドサービス事業者が用意したハイパーバイザー型の仮想化ソフトウェア上で動作しています。

イメージでつかもう！

● 仮想化のさまざまな形態

サーバー仮想化は、仮想化ソフトウェアによって実現します。仮想化ソフトウェアにはホストOS型やハイパーバイザー型などの種類があります。

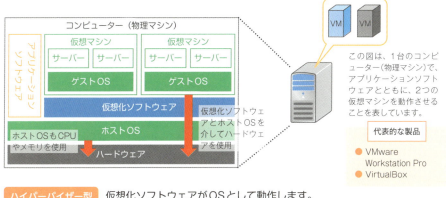

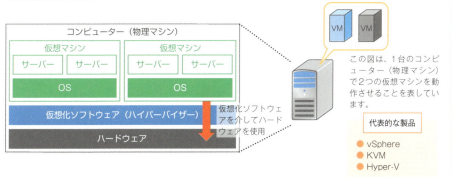

関連用語　サーバーOS ▶p.72　サーバー仮想化 ▶p.62

Chapter **3**　コンテナ型仮想化でサーバーの処理を隔離する

07 サーバーをコンテナ化 するかしないか

　サーバー仮想化をさらに推し進める形で注目を浴びるようになった技術が「**コン テナ型仮想化**」です。サーバー仮想化は、仮想化ソフトウェア上でいろいろな OS の仮想マシンを同時に動作させることができ、サーバー環境を劇的に進化させました。 今やオンプレミス環境であれば、サーバー仮想化ありきで話が進むことがほとんどで しょう。しかし、その一方で、複数の仮想マシンが同じ OS を使用するような環境 だと、仮想マシンごとに OS を用意する必要があり、重複してリソース（CPU、メ モリ、ストレージ領域など）を消費してしまうという致命的な弱点を抱えていました。 この弱点を克服し、より使いやすくした技術がコンテナ型仮想化です。

　コンテナ型仮想化は、サーバーに必要なプログラムやデータを 1 つにまとめた「**コ ンテナ**」を、ホスト OS 上にインストールした「**コンテナ管理ソフトウェア**」上で 動作させる技術です。**それぞれのコンテナで行われる処理は隔離されているので、あ たかも複数のサーバーがあるかのように見えます。**

■ Docker で作るコンテナ型仮想化環境

　コンテナ型仮想化のために必要なソフトウェアが「**Docker**」というオープンソー スのソフトウェアです。基本的に Linux OS 上で動作します。Docker をインストー ルすると「Docker エンジン」というコンテナ管理ソフトウェアができます。コンテ ナははじめに「Docker Hub」という Web サイトから「イメージ（コンテナの素材）」 をダウンロードして使用することが多いでしょう。イメージは、OS を含んでいない ため、サイズが小さく、受け渡しにも適しています。また、各種設定を投入した状態 からイメージを作ったり、そのイメージを別の Docker エンジン上でも動作させた りできるため、いろいろなところで同じような環境を作ることができます。

　これらの特性を生かすため、コンテナ型仮想化でサーバーを構築するときは、基 本的に「**1 サーバー 1 コンテナ**」、つまり 1 つのコンテナには 1 つのサービスしか入 れないようにします。また、1 つのコンテナを大事に使い続けるのではなく、新しい コンテナをどんどん作って、「**使っては壊す**」を繰り返しながら、設定やソフトウェ アをアップデートさせていきます。

プラス 1　複数の Docker エンジンに乗るたくさんのコンテナを一元的に管理するツール（コンテナオーケスト レーションツール）がオープンソースの「Kubernetes（k8s）」です。

イメージでつかもう！

● サーバー仮想化とコンテナ型仮想化の違い

コンテナ型仮想化は、サーバーに必要なプログラムやデータを1つにまとめた**コンテナ**を**コンテナ管理ソフトウェア**の上で動作させる技術です。それぞれのコンテナの処理は隔離されているので、あたかも複数のサーバーがあるかのように見えます。

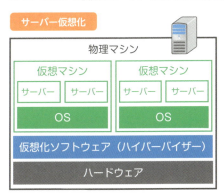

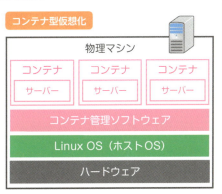

- 仮想化ソフトウェアの上で仮想マシンが動作する
- いろいろなOSを動かすことができる
- 同じOSしか使用しないような環境であれば、OS分のリソースが重複してしまう

- コンテナ管理ソフトウェアの上でコンテナが別々に動作する
- コンテナ管理ソフトウェアもコンテナも基本的にLinux OSしか動かすことはできない
- OSに使用する領域が重複しない

● Dockerのメリット

コンテナ型仮想化に必要なソフトウェアが**Docker**です。Dockerでははじめにイメージ（コンテナの素）をDocker Hubからダウンロードして使用します。コンテナは受け渡しがしやすく、別のDockerエンジンでも動きます。

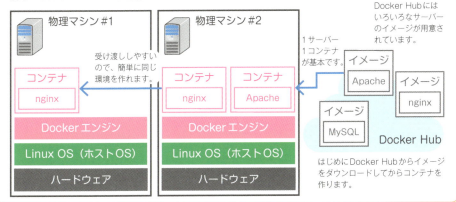

関連用語　Linux系サーバーOS ▶ p.72　オンプレミス型 ▶ p.56　仮想化ソフトウェア ▶ p.64　サーバー仮想化 ▶ p.62

Chapter **3** タワー型かラックマウント型かブレード型か

08 サーバーの筐体形状を選ぶ

　オンプレミス型の運用形態を選択した場合、どんなハードウェアにサーバーソフトウェアをインストールするかも考慮する必要があります。どんなハードウェアであっても、サーバーソフトウェアさえ動作すれば、サーバーに早変わりします。とはいえ、機密データを扱うサーバーを家庭用のノートパソコンに任せるのは心許ないものです。システム要件や重要度にあわせて、ハードウェアを選定します。

■ パソコンとサーバーで使用するハードウェアは違う

　サーバー用のハードウェアは、パソコン用の各種パーツをパワーアップさせたり、完全に別の仕様のものを使用したりすることによって、処理性能や信頼性の向上を図っています。たとえば CPU で考えてみると、インテルだったら Xeon（ジーオン）、AMD だったら EPYC（エピック）というサーバー用の上位モデルが用意されています。また、ストレージドライブで考えてみると、複数のストレージドライブを持つことができ、たとえ 1 台のドライブが壊れたとしても、残りで処理ができるようになっています。

■ サーバーの筐体形状

　一般的なサーバーの筐体形状は「**タワー型**」「**ラックマウント型**」「**ブレード型**」の 3 種類に大別できます。タワー型は、タワー型のデスクトップパソコンと同じ形状のサーバーです。静音性や拡張性、熱対策に優れており、中小企業のオフィススペースなどでよく使用されています。ラックマウント型は「サーバーラック」と呼ばれる専用の収納ラック（棚）に積み重ねていく、薄い形状のサーバーです。限られたスペースを有効活用しないといけないデータセンターや大企業のサーバールームでよく使用されています。ラックマウント型は、サーバーラックに搭載（マウント）できるようにサイズがきっちり決められていて、ラック 1 ユニット分の大きさを「1U」（ワンユー）といいます。ブレード型はサーバーラックに搭載した「シャーシ」と呼ばれる大きな筐体に挿し込む、細長い形状のサーバーです。ラックマウント型よりもさらに高密度にサーバーを配置することができ、ラックマウント型と同じく、データセンターや大企業のサーバールームでよく使用されています。

プラス 1 　ラックマウント型のサーバーは、1U だけでなく、2U や 3U のものもあります。大きければ大きいほど、よりたくさんのパーツを搭載できるようになり、サーバーの拡張性が向上します。

イメージでつかもう！

● サーバーとパソコンのハードウェアの違いはパフォーマンスと信頼性

家庭用のノートパソコンでも、サーバーソフトウェアが動作すれば、サーバーになることができます。しかし、重要なデータを処理するサーバーには、連続稼働を前提としたハードウェアを用意したほうがよいでしょう。

パソコン用ハードウェアの特徴
- 長時間稼働し続けることを前提としていない
- マルチメディアの機能が搭載されている
- 処理性能が低い
- 信頼性が低い（冗長化機能を非搭載）
- 価格が安い

サーバー用ハードウェアの特徴
- 長時間稼働し続けることを前提としている
- マルチメディアの機能が搭載されていない
- 処理性能が高い
- 信頼性が高い（冗長化機能を搭載）
- 価格が高い

● サーバーの筐体形状は3種類

一般的なサーバーの筐体形状には「タワー型」「ラックマウント型」「ブレード型」の3種類があります。

タワー型

- タワー型のデスクトップパソコンと同じ形状のサーバー
- 単体で配置することが多い
- 静音性や拡張性、熱対策に優れている
- 中小企業のオフィススペースなどで使用されている

ラックマウント型／ブレード型

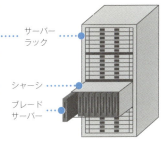

- サーバーラック
- ラックマウント型サーバー
- シャーシ
- ブレードサーバー

ラックマウント型
- サーバーラックに積み重ねて搭載する、薄い形状のサーバー
- ラック1ユニット分の大きさを「1U」という
- タワー型より高密度にサーバーを搭載できる
- データセンターや大企業のサーバールームなどで使用されている

ブレード型
- サーバーラックに搭載した「シャーシ」に挿し込む、細長い形状のサーバー
- ラックマウント型よりもさらに高密度にサーバーを搭載できる
- LANケーブルの配線を少なくすることができる
- データセンターや大企業のサーバールームなどで使用されている

関連用語　CPU ▶p.70　オンプレミス型 ▶p.56　サーバーソフトウェア ▶p.18　サーバールーム ▶p.60
ストレージドライブ ▶p.70　データセンター ▶p.60

Chapter 3 価格、処理能力、信頼性を考慮する

09 サーバーを構成するコンポーネント

コンピューターは「**CPU(中央処理装置)**」「**メモリ(主記憶装置)**」「**ストレージドライブ(外部記憶装置)**」「**NIC(Network Interface Card)**」という、主に4つのコンポーネントから構成されています。サーバーはこれらのコンポーネントをパワーアップしたり、サーバー用に作られた別の仕様のものを使用したりすることによって、処理性能や信頼性の向上を図っています。どの程度のスペックのコンポーネントを使用するかは、サーバーの用途や想定している最大同時利用者数、1秒当たりのリクエスト数など、いろいろなシステム要件に基づいて決めていきます。

■ 各コンポーネントをサーバー用にパワーアップ

CPUは一時期まで、クロック(動作周波数)アップを追い求めることによって処理能力向上を図っていました。しかし近年は、クロックアップに代わって、**マルチコア化を図ることによって処理能力向上を図るようになっています**。インテルのXeonやAMDのEPYCなど、サーバー用CPUはマルチプロセッサ化／マルチコア化とあわせて、メモリのデータ転送の高速化によって処理能力向上を図っています。

メモリはOSの64ビット化に伴い、搭載できる容量が一気に増大しました。これにより、容量が大きくなり、高速になっています。サーバー用のメモリには、エラーを自動修復する「**ECC(エラー自動訂正)機構**」が付いていたり、冗長化する「**メモリミラーリング**」の機能が付いていたりして、信頼性の向上を図っています。

ストレージドライブもメモリと同じく、容量が大きくなり、高速になっています。最近はHDD(Hard Disk Drive)だけでなく、SSD(Solid State Drive)も一般的に使用されています。書き込み中心のサーバーはHDD、読み込み中心のサーバーはSSDというように用途に応じて選定してください。**サーバー用のストレージは「RAID」によって冗長化を組むことができ、信頼性の向上を図ることができます**。

NICもメモリやストレージほどではないにせよ、徐々に高速になってきています。最近はギガビットイーサネットのNICが主流で、10ギガビットイーサネットのNICをたまに見かける感じです。サーバーには複数枚のNICが搭載されており、**「チーミング」によって、帯域を増やしたり、冗長化したりします**。

プラス1 1台のコンピューターに複数のCPUを載せることをマルチCPU、1つのCPUに複数のコア(CPUの中で処理の中核を担う部分)を載せることをマルチコアといいます。

イメージでつかもう！

● 必要なサーバーのスペックに応じて、4つのコンポーネントを選ぶ

コンピューターを構成する主なコンポーネントとして、CPU、メモリ、ストレージドライブ、NICがあります。サーバーの用途に応じて、これらのコンポーネントを選定します。

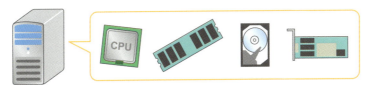

CPU

オンプレミス
- 動作周波数（クロック）が高いほど処理能力が高い。ただし、近年はCPUのコア（主要計算部分）を増やすことで能力向上を図るようになっている
- CPUの数、あるいはコアの数が多ければ多いほど、処理性能が高い。処理能力と、価格のバランスで選択する

クラウド
- ハードウェアは事業者任せ。CPUの性能はまちまちで、動作周波数で表されている場合や、クラウドサービス独自の単位を用いて「x86 CPUの○GHz相当」などと説明されている場合がある

メモリ

オンプレミス
- メモリ容量とともに、データ転送速度、消費電力、耐障害性を考慮する
- サーバー用のメモリは、エラーを自動修復するECC機構や、メモリを冗長化してデータをコピーして持つメモリミラーリング機能などによって、信頼性の向上を図っている

クラウド
- ハードウェアは事業者任せ。メモリは、CPU性能と組み合わせる形で、1GB、2GBなど数値で用意されているメニューから選択する

ストレージドライブ

オンプレミス
- ストレージ容量とともに、データ転送速度や耐障害性を考慮する
- HDDだけでなく、メモリを用いたSSDも一般的に使用されている。SSDは高速だが高価なので、用途に応じて選定する

クラウド
- ハードウェアは事業者任せ。ストレージドライブは、容量と、HDDかSSDかを選ぶ

NIC

オンプレミス
- ギガビットイーサネットのNICが主流で、10ギガビットイーサネットも一部で利用されている
- サーバーには複数枚のNICを搭載して、チーミングで冗長化することが多い

クラウド
- ハードウェアは事業者任せ。GB単位の従量課金制の場合や、帯域上限を定めた月額固定料金の場合などがある

---

3 サーバーを用意する

関連用語　RAID ▶ p.138　イーサネット ▶ p.34　チーミング ▶ p.140

Chapter 3 Linux サーバーか Windows サーバーか

10 Linux系サーバーOSと Windows系サーバーOS

サーバーとしてより安定的に動作するために開発・調整された OS のことを、「**サーバー OS**」といいます。サーバー OS はグラフィックス処理やサウンド処理など、サービスに関係ない機能を必要最低限にまで削ぎ落としている一方で、いろいろな管理機能を追加したり、処理を最適化したりすることによって、継続的・安定的なサービスの提供を可能にしています。サーバー OS には「**Linux系サーバー OS**」と「**Windows系サーバー OS**」の 2 種類があります。どちらを選択するかは、提供するサービスやコスト、サポート、運用スキルなど、各種要素から決定します。

サーバー OS の元祖「UNIX（ユニックス）」をお手本として、**UNIX と似た動作をするように作った OS が「Linux系サーバー OS」**です。レッドハットの「Red Hat Enterprise Linux（RHEL）」やオープンソースの「Ubuntu（ウブントゥ）」などがこのタイプの OS に当たります。Linux 系サーバー OS はマウスによる入力操作（GUI、Graphical User Interface）ができないわけではないのですが、キーボードによるコマンドラインの入力操作（CLI、Command Line Interface）がメインになります。CLI は Windows 系サーバー OS で提供されている GUI と比較して、必ずしも直感的に操作できるとは言えないため、慣れるまでに時間がかかります。また、無償の OS を選択すると、基本的にサポートがないに等しく、トラブルが起こっても自力で何とか解決するしかありません。しかし、UNIX 並みの堅牢性・安定性を確保できるだけでなく、無償の OS を選択すると、ライセンスに関連するイニシャルコストを抑えることができます。

クライアント OS として一般的に使用されている **Windows をサーバー用にパワーアップ、かつ最適化させたものが「Windows系サーバー OS」**です。「Windows Server 2019」や「Windows Server 2022」がこのタイプの OS に当たります。Windows 系サーバー OS は Windows 10 や Windows 11 と同じように有償なので、Linux 系サーバー OS と比較するとライセンスに関わるイニシャルコストは高くなる傾向があります。しかし、クライアント用の Windows と同じように、マウスによる入力操作がメインなので直感的に操作することができます。また、開発元であるマイクロソフトによる有償・無償サポートもあるため、安心して使用できます。

プラス1 Linux は Ubuntu に代表される Debian（デビアン）系と CentOS（セントオーエス）に代表される Red Hat 系に分類できます。両者はソフトウェアの管理方法やコマンドラインなどに違いがあります。

イメージでつかもう！

● サーバーOSとは

サーバーには、サーバー用に開発・調整されたサーバーOSをインストールして使用します。

クライアントのパソコンのOSは、一般的に使われているWindows 10やmacOSなどです。

Windows 10   macOS   Windows 11

サーバーにはサーバーOSをインストールします。

サーバーOSには、Linux系サーバーOSとWindows系サーバーOSの2種類があります。

Linux系サーバーOS

UNIXと似た動作をするように作られたOS。代表的なLinux系サーバーOSとして、レッドハットのRed Hat Enterprise Linuxや、オープンソースのUbuntuなどがある。

特徴
- キーボードによるコマンドラインの入力操作がメインになるため、最初のうちは慣れが必要
- 無償で使用できるOSが多数存在している
- 無償のOSを使用すると、イニシャルコストを抑えることができるが、サポートがないことが多いため、トラブルは自力で解決しなくてはならない

Windows系サーバーOS

Windowsをサーバー用にパワーアップさせたOS。Windows Server 2019や、Windows Server 2022などがある。

特徴
- デスクトップ環境で使用するWindowsと同じく、グラフィカルな画面をマウスで直感的に操作できるため、とっつきやすい
- 有償なので、Linux系サーバーOSと比較して、イニシャルコストがかさむ傾向がある
- 日本マイクロソフト社による有償・無償サポートを受けることができる

● いろいろなLinuxサーバー系OS

系統	名前	有償／無償	概要
Red Hat系	Red Hat Enterprise Linux（RHEL）	有償	レッドハットによって開発されている商用向けのLinux系サーバーOS。大規模システムのサーバーで一般的に利用されている
Red Hat系	CentOS	無償	Red Hat Enterprise Linuxの商用部分を除いたLinux系サーバーOS。安定性もそこそこ高く、商用で使用されることもある
Debian系	Debian	無償	世界中のボランティア技術者で構成されるコミュニティによって開発されているLinux系サーバーOS。安定性も高く、商用で使用されることもある
Debian系	Ubuntu	無償	Debianをベースに作られたLinux系サーバーOS。使いやすさが特徴で、サーバー用途だけでなく、デスクトップ用途で使用されることもある

 Active Directory ▶ p.90　Microsoft Exchange Server ▶ p.104

Chapter 3 特定のサービスだけを提供する、お手軽な選択肢

11 アプライアンスサーバー

　特定のサービスや機能だけに特化して作られたサーバーのことを「**アプライアンスサーバー**」といいます。アプライアンスサーバーは簡単に導入でき、かつ運用管理もしやすいことから、多くの企業で使用されています。最近はファイルサーバー、プロキシサーバー、ファイアウォール、ロードバランサー（負荷分散装置）などなど、いろいろな用途のアプライアンスサーバーが存在しています。

お手軽に導入・運用できる

　アプライアンスサーバーは、サービスを提供するために必要な OS やサーバーソフトウェアがインストールされた状態で出荷されるため、お手軽に導入することができます。また、あらかじめ設定ウィザードや運用管理ツールが用意されており、それに沿って項目を選択すれば、簡単に設定できます。

運用管理コストを抑えられる

　アプライアンスサーバーは、これまで説明してきた汎用サーバーから不要な機能を削ったり、独自のハードウェアやソフトウェアを使用したりすることによって、パフォーマンスの向上を図っています。また、上記のとおり、設定ウィザードや運用管理ツールが用意されていて、お手軽に設定できるようになっているため、サービスイン後も運用管理がしやすく、運用管理コストを削減することができます。

決められたことしかできない

　「お手軽に導入できて、安くて、かつパフォーマンスもあって…」とよいことずくめのアプライアンスサーバーですが、必ずしもメリットばかりというわけではありません。アプライアンスサーバーは設定できる範囲が決められているため、**細かい設定ができるとは限りません**。また、ハードウェア構成も決められているため、特定のパーツだけをアップグレードするようなこともできず、ソフトウェア構成も決められているため、**他用途のサーバーとして使用することもできません**。

プラス1　アプライアンスサーバーは設定画面がわかりやすく、使いやすくできているため、同じ種類のサーバーの動作を理解するにはもってこいです。

イメージでつかもう！

● アプライアンスサーバー

アプライアンスサーバーは、専用のハードウェアに、サーバーOSとサービスを提供するソフトウェアが最初からインストールされているものです。

メリット
- あらかじめ必要なOSやソフトウェアがインストールされている
- 設定ウィザードや運用管理ツールが用意されているため、サービスイン後に運用管理がしやすく、運用管理コストの削減を図ることができる
- 特定のサービスや機能に特化した構成になっているため、パフォーマンスが高い

デメリット
- 決められた範囲以上の細かな設定はできない
- ハードウェアの一部をアップグレードしたり、別のサーバーソフトウェアを動かしたりすることはできない

● 汎用サーバー

ここまでに解説してきたサーバーは、汎用サーバーです。
サーバーOSをインストールして、各サービスを提供するソフトウェアをインストールすれば、どんなサーバーにもなれます。普段使っているパソコンと同じようなものです。

メリット
- 好きなようにハードウェアの構成を変更したり、ソフトウェアを入れ替えたりできる
- 1台でさまざまなサーバーソフトウェアを動かすこともできる

デメリット
- ソフトウェアのインストールや設定を行わなくてはならず、管理には専門的な知識が必要
- どんなサーバーにもなれる半面、何かに最適化されてはおらず、値段が高い

関連用語　DHCPサーバー ▶p.82　DNSサーバー ▶p.84　ファイアウォール ▶p.154　ファイルサーバー ▶p.92
　　　　　負荷分散装置 ▶p.146　プロキシサーバー ▶p.98

| Chapter 3 | 仮想化のメリットを取るか、パフォーマンスを取るか |

12 仮想アプライアンスサーバー

サーバー仮想化の潮流に乗って、新しく生まれたアプライアンスサーバーが、物理サーバーを仮想化した「**仮想アプライアンスサーバー**」です。現在世の中に存在しているアプライアンスサーバーのほとんどが、ベースOSとしてLinux系サーバーOSやWindows系サーバーOSを使用し、その上で特別にコーディングされたサービスを動作させたり、そこから専用のハードウェア処理を呼び出したりすることによって、処理の高速化・効率化を図っています。仮想アプライアンスサーバーは、ベースとなるOSやサービス、それにハードウェア処理をすべて仮想化ソフトウェアのハイパーバイザー上で行います。

■ 仮想アプライアンスサーバーのメリット

仮想アプライアンスサーバーのメリットは、何といっても「**設置スペースが不要なこと**」です。これまでアプライアンスサーバーといえば、ラックマウント型サーバーと同じように、サーバーラックに搭載し、設置スペースを取ってしまうのが当たり前でした。仮想アプライアンスサーバーは仮想化ソフトウェアのハイパーバイザー上で、1つの仮想マシンとして動作するため、設置スペースを取ることはありません。設置スペースはそのままコストにつながります。仮想アプライアンスサーバーを利用すると、**設置スペースを節約でき、あわせてコストも節約できます**。

■ 仮想アプライアンスサーバーのデメリット

仮想アプライアンスサーバーのデメリットは「**パフォーマンス（処理性能）の劣化**」です。仮想アプライアンスサーバーはいったん仮想化ソフトウェアの処理を経由することになるだけでなく、物理アプライアンスサーバーが処理の高速化・効率化を図るために使用しているハードウェア処理をソフトウェア処理に置き換えるため、パフォーマンス劣化の影響が顕著に表れます。そのため、ただやみくもに仮想アプライアンスサーバーを使用するのでなく、たとえば**テスト環境は仮想アプライアンスサーバー、本番環境は物理アプライアンスサーバー**といった具合に、**うまく併用を図るようにしましょう**。

| プラス1 | 最近は、サーバーだけでなく、ネットワーク機器も仮想化するようになってきました。この大きな流れ、取り組みを「NFV（Network Function Virtualization）」といいます。 |

イメージでつかもう！

● アプライアンスサーバーも仮想化。物理と仮想をうまく併用

特定の機能に特化したアプライアンスサーバーも、仮想化で提供されるようになってきました。メリットとデメリットを把握して使い分けましょう。

物理アプライアンスサーバーと仮想アプライアンスサーバーの違い

現在の物理アプライアンスサーバーは、ほとんどの製品が以下のような構成となっています。

このうち、OSとソフトウェア部分を仮想化ソフトウェア上で動作させたものが仮想アプライアンスサーバーです。

仮想アプライアンスサーバーの特徴

メリット
- 仮想化ソフトウェア上で、1つの仮想マシンとして動作するため、設置スペースが必要ない
- 専用のハードウェアを必要としないので、物理アプライアンスよりも安価に導入できる

デメリット
- 物理アプライアンスが最適化されたハードウェアで動作するのに比べ、汎用ハードウェア上の仮想化ソフトウェア上で動作するため、処理性能が落ちる

テスト環境は仮想アプライアンスサーバー、本番環境は物理アプライアンスサーバーといった具合に、用途にあわせて使い分けるとよいでしょう。

関連用語　Linux系サーバーOS ▶ p.72　Windows系サーバーOS ▶ p.72　アプライアンスサーバー ▶ p.74

COLUMN

Ansible によるサーバー管理の自動化

　かつてサーバーは、1台1台ログインして、設定を変更したり、ソフトウェアをバージョンアップしたりして管理するのが基本でした。しかし近年、サーバーの仮想化やコンテナ化、クラウド化などが急速に進み、管理しないといけないサーバーの数が急増した結果、この伝統的な管理手法は限界を迎えました。このような状況を踏まえて、注目を浴びるようになったツールが「構成管理ツール」です。

　構成管理ツールとは、その名のとおり、サーバーの設定やソフトウェアなどの構成を管理するためのツールです。構成管理ツールを使用すると、今まで1台1台手動で行っていた設定変更を自動化できたり、設定内容をコードとして管理できるようになったりするため、負荷になっていた大量のサーバーの管理業務を円滑、かつ均一的に行えるようになります。

　構成管理ツールの中で最も使用されているのが、レッドハットが開発するオープンソースソフトウェアの「Ansible」です。一時期は「Chef」や「Puppet」など、いろいろな構成管理ツールがしのぎを削っていましたが、最終的にほぼ Ansible 一択になりました。Ansible は「シンプル（設定情報がシンプルでわかりやすい）」「エージェントレス（管理対象のサーバーに管理用のエージェントソフトウェアをインストールする必要がない）」「パワフル（いろいろなレイヤーのいろいろな製品を操作できる）」という特徴を持ち、お手軽に導入できることから、一気にインフラ界に広まりました。

　Ansible は、Ansible をインストールして、「インベントリー」と「プレイブック」という2つのファイルを用意するだけで動作します。インベントリーは、操作したいサーバーをリストとして記載するファイルです。プレイブックは、それらのサーバーで実行したい処理の流れを「YAML」という形式で記載するファイルです。これら2つのファイルをコマンドで引数として指定すると、インベントリーで指定されたサーバーに対して接続し、プレイブックに記載された順序で処理を実行します。

Chapter

4

社内サーバーの基本

社内にいるクライアントに対して
サービスを提供するサーバーのこと
を「社内サーバー」といいます。
本章では、社内サーバーの配置や、
代表的な社内サーバーが持つ役割に
ついて解説します。

Chapter **4** 社内のクライアントにサービスを提供する

01 社内サーバーの配置

社内サーバーとは、オンプレミスの LAN、あるいはクラウド上に配置して、社内のクライアントに対してサービスを提供するサーバーです。 LAN とクラウド、どちらにどのサーバーを配置するかは、サーバーの用途や役割、自社の運用管理能力、コストなど、いろいろな要素をもとに決めていきます。

▌ LAN 内に配置する社内サーバー

ファイルの共有に使用する「ファイルサーバー」や、Active Directory サービスで使用する「ドメインコントローラー」など、LAN 内で通信が完結する社内サーバーは LAN 内に配置することが多いでしょう。LAN 内に配置すると、ハードウェアが必要になったり、その分のスペースやケーブル配線が必要になったりと、いろいろ手間がかかることになります。しかし、**有限なインターネット回線帯域（容量）を節約できたり、クラウドサービスにかかるランニングコストも節約できたりと、全体としてバランスのとれた運用管理レベルを保つことができます。**

▌ クラウド上に配置する社内サーバー

メールの処理を行う「メールサーバー」や、Web アクセスの処理を代理で行う「プロキシサーバー」など、インターネットと通信する社内サーバーはクラウドに配置してもよいでしょう。クラウド上にサーバーを配置すると、すべてのクライアントとサーバー間の通信がインターネット回線を経由することになるため、インターネット回線帯域を圧迫してしまう可能性があります。しかし、**絶対に止めてはならない重要なサーバーの管理をクラウドサービス事業者に任せることができたり、たとえオフィスが被災してもクラウド上からサービスを継続して提供できたりします。**

さて、社内サーバーをクラウド上に配置するとき、必ずと言ってよいほど付きまとう課題が「セキュリティ」です。クラウド上のサーバーを使用する場合は、通信を暗号化したり、LAN とクラウド環境を「**VPN（Virtual Private Network）**」と呼ばれる仮想的な専用線で接続したりすることによって、セキュリティを保ちます。

プラス 1 　LAN 内にサーバーを配置する場合は、サーバー用のネットワークを作り、そこだけハイスペックなネットワーク機器で構成するようにします。

イメージでつかもう！

● LAN内で通信を完結するか、インターネットと通信するか

社内サーバーは、社内のクライアントにサービスを提供するサーバーです。LAN内に配置する場合と、クラウドに配置する場合があります。

クラウド上に配置

- コンピューターやネットワーク機器などのハードウェアや、設置スペース、ケーブル配線が必要ない
- メールサーバーやプロキシサーバーなど、インターネットと通信するサーバーを配置することが多い
- サーバーの管理をクラウドサービス事業者に任せることができる
- オフィスが被災しても、クラウド上のサーバーからサービスを継続できる
- クライアントとサーバーの通信はすべてインターネット回線を経由するため、回線帯域を圧迫する可能性がある
- オフィスとクラウド上のサーバーとの通信のセキュリティを確保する必要がある
- クラウドサービス自体に障害が発生すると、サービスを提供できなくなる

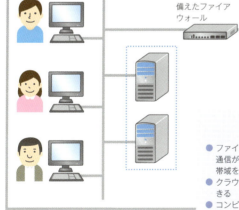

LAN内に配置

- ファイルサーバーやドメインコントローラーなど、LAN内で通信が完結するサーバーを配置すると、インターネット回線帯域を節約できる
- クラウドサービス事業者に支払うランニングコストを節約できる
- コンピューターやネットワーク機器などのハードウェアや、設置スペース、ケーブル配線が必要になる

それぞれの社内サーバーの役割などは、本章で解説していきます。

関連用語 Active Directory ドメインサービス ▶ p.90　VPN 接続 ▶ p.132　クラウドサービス ▶ p.58
ドメインコントローラー ▶ p.88　ファイルサーバー ▶ p.92　プロキシサーバー ▶ p.98　メールサーバー ▶ p.100

Chapter 4 LAN 内のパソコンのネットワーク設定を自動化する

02 DHCPサーバーの役割

DHCP サーバーは、ネットワークに関連する設定情報を DHCP クライアントに配布するサーバーです。

コンピューターに IP アドレスを割り当てる（設定する）方法には、「静的割り当て」と「動的割り当て」の 2 種類があります。静的割り当ては、手動で IP アドレスを設定する方法です。サーバーやネットワーク機器など、同じ IP アドレスを使い続けなければならない機器で使用します。それに対して、動的割り当てはサーバーがクライアントに対して、IP アドレスやサブネットマスク、デフォルトゲートウェイなど、ネットワークに関連する設定情報を配布して、自動で設定する方法です。会社のLANなど、IP アドレスを設定しなくてはいけないコンピューターが数多く存在するネットワーク環境で使用します。動的割り当てで IP アドレスを配布するときに使用するプロトコルが「DHCP(Dynamic Host Configuration Protocol)」です。DHCP を使用すると、煩雑になりがちな IP アドレスの管理を楽にできるだけでなく、不足しがちな IP アドレスをうまくやりくりできるようになります。

■ アドレスプールから IP アドレスを配布する

DHCP サーバーを構築するときは、まずクライアントに配布する IP アドレスの範囲（アドレスプール）や、それにあわせて配布する設定情報、有効期間（リース時間）を設定します。続いて、クライアントに配布してはいけない IP アドレス（除外 IP アドレス）を設定します。DHCP サーバーは DHCP クライアントがネットワークに接続すると、アドレスプールの中から使用されていない IP アドレスを配布します。設定情報を受け取ったクライアントは、リース時間が経過したり、ネットワークから切断したりすると、配布された設定情報を返却します。

DHCP サーバーは、家庭や SOHO など小規模なネットワーク環境であれば、サーバーを用意するのではなく、Wi-Fi ルーターやファイアウォールの持つ DHCP サービス機能を使用することが多いでしょう。それ以上の規模のネットワーク環境になると、サーバーや専用アプライアンスを使用するのが一般的です。現在の OS はすべてが DHCP クライアント機能を持っていて、標準で有効になっています。

イメージでつかもう！

● IPアドレスの割り当て方は2種類

ネットワークに接続するコンピューター（プリンターやルーターなども含む）には、IPアドレスを割り当てる必要があります。2種類の割り当て方があります。

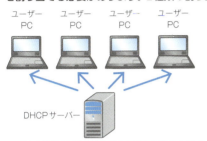

動的割り当て

ユーザーのパソコンなど、数が多く、IPアドレスが変更されても大丈夫な機器には、DHCPサーバーから自動でネットワークの設定を行うのが一般的です。

静的割り当て

通信や管理のために、IPアドレスが変更されると困る機器（ネットワーク機器やサーバーなど）には、管理者が手動でIPアドレスを設定します。

● DHCPサーバーの設定

DHCPサーバーの設定
- 配布するIPアドレスの範囲
  192.168.1.1 ～ 192.168.1.128
- サブネットマスク
  255.255.255.0
- 配布してはいけないIPアドレスの範囲
  192.168.1.129 ～ 192.168.1.254
- 配布するIPアドレスの有効期間
  1日
- デフォルトゲートウェイ
  192.168.1.254
- DNSサーバーのIPアドレス
  8.8.8.8

管理者はDHCPサーバーに対して配布するアドレスの範囲やサブネットマスクなどの設定情報を登録しておきます。
あとはDHCPサーバーにお任せです。

DHCPサーバーは、配布するIPアドレスの範囲の中から、未使用のIPアドレスを配布します。あわせて、サブネットマスクやデフォルトゲートウェイ、DNSサーバーなどの設定を配布します。

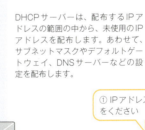

① IPアドレスをください

② このIPアドレスを使ってください

192.168.1.1　192.168.1.2　192.168.1.3

4 社内サーバーの基本

関連用語　DNSサーバー ▶ p.84　IPアドレス ▶ p.38　アプライアンスサーバー ▶ p.74　サブネットマスク ▶ p.38
　　　　　デフォルトゲートウェイ ▶ p.44

Chapter **4**　IP アドレスとドメイン名を相互に変換する仕組み

03　DNSサーバーの役割

　インターネットではコンピューターを識別するために IP アドレスを使用しています。しかし、IP アドレスは「10.1.1.1」のような数字の羅列なので、それだけを見ても、いったい何に使われているのか、何を表しているのか、わかりようがありません。そこで、インターネットでは IP アドレスに「ドメイン名（FQDN）」という名前を付けてわかりやすくしています。IP アドレスとドメイン名を相互に変換する仕組みを「DNS(Domain Name System)」といいます。

■ ドメイン名はツリー構造になっている

　ドメイン名は「www.example.co.jp」のようにドットで区切られた文字列で構成されています。この 1 つひとつの文字列のことを「ラベル」といいます。また、右から順に「トップレベルドメイン」「第 2 レベルドメイン」「第 3 レベルドメイン」…といい、一番左がホスト名になります。ラベルは「ルート」を頂点として、トップレベルドメイン、第 2 レベルドメイン、第 3 レベルドメイン…と枝分かれするツリー状の階層構造になっていて、右から左にラベルを追っていくと、対象となるサーバーまでたどり着くことができます。

■ DNS サーバーは 2 種類ある

　DNS サービスを提供するサーバーのことを「DNS サーバー」といいます。DNS サーバーは「キャッシュサーバー」と「コンテンツサーバー」に大別されます。キャッシュサーバーは、LAN 内にいるクライアントからの問い合わせを受け、代わりにインターネットに問い合わせる DNS サーバーです。クライアントがインターネットにアクセスするときに使用します。コンテンツサーバーは、外部のコンピューターから自分が管理するドメインに関する問い合わせを受ける DNS サーバーです。自ドメイン内のホスト名を「ゾーンファイル」というデータベースで管理しています。クライアントから問い合わせを受けたキャッシュサーバーは、受け取ったドメイン名の階層を右（ルート）から順に辿って、そのドメイン名を管理するコンテンツサーバーを問い合わせていきます。該当のコンテンツサーバーに辿り着いたら、**ドメイン名に対応する IP アドレスを教えてもらいます**。このような動作を「名前解決」といいます。

イメージでつかもう！

● IPアドレスとドメイン名

IPアドレスとドメイン名を相互に変換する仕組みをDNSといいます。

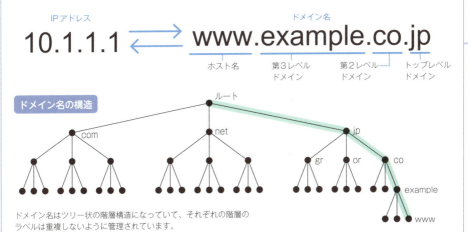

Webブラウザを使用して、インターネットにアクセスするとき、裏ではDNSがURLに含まれるドメイン名をIPアドレスに変換しています。

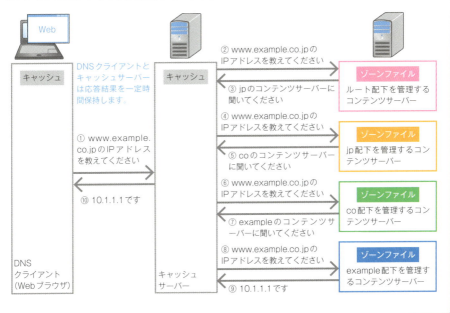

関連用語　IPアドレス ▶ p.38

Chapter **4**　Webサーバーへの接続を確実にするには欠かせない

04 DNSサーバーの冗長化

　DNSサーバーは、インターネットを縁の下の力持ち的に支えている重要なサーバーです。DNSサーバーでドメイン名を名前解決できなければ、目的のWebサーバーにアクセスできません。そこで、DNSサーバーはシングル構成ではなく、**「プライマリDNSサーバー」と「セカンダリDNSサーバー」の冗長構成にするのが基本です。**4-03節で説明したとおり、DNSサーバーはキャッシュサーバーとコンテンツサーバーに大別されます。それぞれ冗長化のやり方が異なるので、分けて説明します。

■ キャッシュサーバーの冗長化

　LANに配置するキャッシュサーバーは、クライアントが問い合わせた名前解決の情報をキャッシュ（一時保存）しているだけです。したがって、プライマリDNSサーバーとセカンダリDNSサーバーとで特に冗長化の設定をする必要はありません。あらかじめクライアントOSのDNSの設定で、プライマリDNSサーバーとセカンダリDNSサーバーを指定しておき、クライアント側で冗長化の処理を行います。**プライマリDNSサーバーから応答が返ってこなかったら、セカンダリDNSサーバーに問い合わせし直します。**

■ コンテンツサーバーの冗長化

　コンテンツサーバーは、ドメイン名に関する情報（ゾーンファイル）を保持する重要なサーバーです。もしプライマリDNSサーバーがダウンしても、セカンダリDNSサーバーで同じ情報を返せるように、同じゾーンファイルを保持する必要があります。同じゾーンファイルを保持するための機能が「**ゾーン転送**」です。これはプライマリDNSサーバーからセカンダリDNSサーバーへとゾーンファイルのコピーを転送する機能です。定期的、あるいは任意のタイミングでゾーン転送を行い、ゾーンファイルを同期します。なお、一階層上にあるDNSサーバーのゾーンファイルには、プライマリDNSサーバーとセカンダリDNSサーバー、両方の情報を登録します。**これにより、どちらのDNSサーバーも対象となるドメイン名の問い合わせを受け付けることになりますが、ゾーン転送の結果、同じ情報を返します。**

プラス1　コンテンツサーバーのセカンダリDNSサーバーは、契約しているプロバイダーがサービスとして提供している場合があります。この場合、プロバイダーのDNSサーバーにゾーン転送します。

イメージでつかもう！

● DNSサーバーの種類によって、配置場所や運用方法が異なる

DNSサーバーで名前解決できなくては、目的のWebサーバーにアクセスできません。障害に備えて、プライマリとセカンダリの2台を用意しておきます。また、DNSサーバーの種類によって、配置場所や運用方法が異なります。

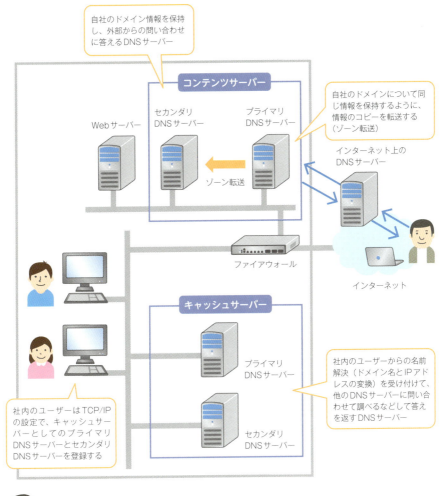

一口に「DNSサーバー」と言っても、設定によってまったく異なる2種類の使い方があることを押さえておきましょう。

関連用語　DNSサーバー ▶ p.84　Webサーバー ▶ p.114　キャッシュサーバー ▶ p.84　コンテンツサーバー ▶ p.84
　　　　　名前解決 ▶ p.84　メールサーバー ▶ p.100

Chapter 4 Windows のネットワークでは、このどちらかに所属する

05 ワークグループとActive Directoryドメイン

　Windows では、Windows コンピューターで作るネットワークの種類を「ワークグループ」と「Active Directory ドメイン（AD ドメイン）」に分類しています。この 2 つの最も大きな違いはユーザーアカウントの管理方法です。ワークグループはそれぞれの Windows コンピューターでユーザーアカウントを分散管理します。一方、AD ドメインはサーバーでユーザーアカウントを一元的に管理します。

■ ワークグループでイニシャルコストを削減する

　ワークグループは家庭や SOHO など、管理しなければならないコンピューターの数が少ないネットワーク環境で使用されます。ワークグループでは、それぞれのコンピューターが、そのコンピューターを使用するユーザーアカウントを持ちます。ワークグループは、コンピューターの台数やユーザーの人数が増えると、どんどん管理がしづらくなり、結果としてランニングコストがかさむ傾向にあります。しかし、別途サーバーを用意する必要がないため、イニシャルコストの削減を図ることができます。

■ AD ドメインでランニングコストを削減する

　AD ドメインは企業や組織など、管理しなければならないコンピューターの数が多いネットワーク環境で使用されます。AD ドメインでは、Windows サーバーに Active Directory ドメインサービスをインストールした「ドメインコントローラー」が、AD ドメイン内のユーザーアカウントを一元的に持ちます。AD ドメインは、別途サーバーを用意する必要があるため、イニシャルコストがかさむ傾向にあります。しかし、コンピューターの台数やユーザーの人数が増えても、ドメインコントローラーだけを管理していけばよいため、ランニングコストの削減を図ることができます。

　Windows コンピューターはデフォルトで「WORKGROUP」という名前のワークグループに所属しています。Windows コンピューターが AD ドメインに参加するときは、ドメインコントローラーを DNS サーバーとして設定し、AD ドメインに参加するための設定を行います。参加の設定をすると、ドメインコントローラーに対して自動的にログオン処理が行われます。

> **プラス 1** AD ドメインを管理しているドメインコントローラーは複数台で冗長化するケースがほとんどです。冗長化したドメインコントローラーはお互いに情報を同期します。

88

イメージでつかもう！

● Windowsパソコンのネットワークの種類

Windowsパソコンでネットワークを作る場合、ワークグループかActive Directoryドメイン（ADドメイン）のどちらかに所属することになります。

● ワークグループはユーザーアカウントを各パソコンで管理

- 各自が、自分のWindowsパソコンを利用できるユーザーアカウントを管理する
- すべてのパソコンは対等で、それぞれがフォルダーの共有設定などを行える
- サーバーは必要ない

● ADドメインはユーザーアカウントをドメインコントローラーが管理

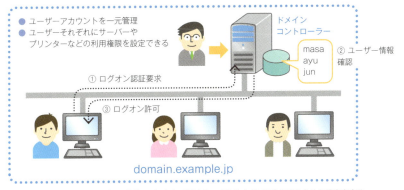

- ドメインコントローラーをDNSサーバーとして設定し、ADドメインに参加するための設定をする

関連用語　Active Directory ドメインサービス ▶p.90　DNSサーバー ▶p.84　Windows系サーバーOS ▶p.72

Chapter 4 Windows ネットワーク環境を持つ企業の多くが導入している理由

06 Active Directory ドメインを構成するメリット

Active Directory ドメインを構成するために必要なサービスが、ドメインコントローラーで実行する「**Active Directory ドメインサービス**」です。Active Directory ドメインサービスはユーザーアカウントやコンピューター、プリンターなど、AD ドメイン内のリソースを一元的に管理できるだけでなく、共有リソースに対するアクセス権限の設定を効率化できたり、AD ドメイン内のルールを統一できたり、いろいろなメリットがあるため、多くの企業で導入されています。Active Directory ドメインサービスは Windows 2000 Server 以降の Windows 系サーバー OS で使用できます。

■ アクセス権限の設定を効率化

共有フォルダーや共有プリンターなどの共有リソースには必ず適切なアクセス権限を設定します。アクセス権限の設定は、ユーザーが少ないうちは、ユーザーアカウントごとに設定すればよいだけで、特に手間にはなりません。しかし、ユーザーが多くなるにつれ、どんどん煩わしくなってきます。そこで、Active Directory ドメインサービスには、複数のユーザーアカウントをひとまとめにする「**グループアカウント**」という機能があります。**グループアカウントを利用すると、グループアカウントごとにアクセス権限を設定できるようになり、設定の煩わしさから解放されます。**

■ グループポリシーでドメイン内のルールを管理

ドメインコントローラーが持つ AD ドメイン内のルールのことを「**グループポリシー**」といいます。ドメインコントローラーでは、AD ドメインの中で「○○はやってもいい」「△△はやっちゃダメ」的なことを設定できます。会社や学校で、ログインするときに定期的にパスワードの変更を求められたり、パスワードの文字数を一定数以上にするように求められたりしたことはありませんか。これはグループポリシーがユーザーのログイン時やコンピューターの起動時など、特定のタイミングで適用されるようになっているためです。**グループポリシーを使用すると、AD ドメイン内のルールを統一することができ、一定のセキュリティレベルを保てるようになります。**

> **プラス 1** Windows 11 Home のような家庭用 Windows OS は AD ドメインに参加できません。AD ドメインを組む場合は用意するパソコンの OS にも気を配りましょう。

イメージでつかもう！

● **Active Directoryは、社内システムの管理に多大なメリットをもたらす**

Active Directory（AD）は、ユーザーやコンピューター、プリンターなど、ネットワーク上のあらゆるものに関する情報を、階層的に構造化してデータベースで管理します。ADにおけるドメイン（ADドメイン）は、1つのデータベースで管理される範囲のことです。

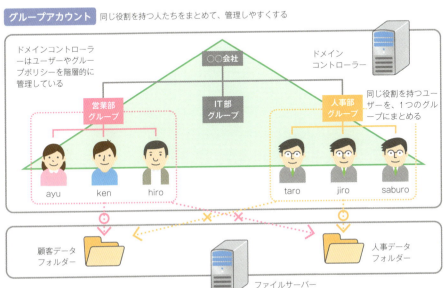

グループアカウント　同じ役割を持つ人たちをまとめて、管理しやすくする

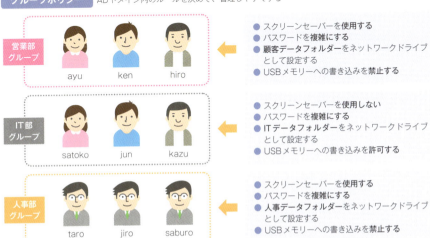

グループポリシー　ADドメイン内のルールを決めて、管理しやすくする

関連用語　Active Directory ドメイン ▶ p.88　Windows系サーバーOS ▶ p.72　ドメインコントローラー ▶ p.88

Chapter **4**　いろいろなファイルをためて、効率よく共有する

07　ファイルサーバーの役割

　ファイルサーバーは、LAN や WAN などのネットワーク上で別のコンピューターとファイルを共有したり、データをやりとりしたりするために使用するサーバーです。ファイルサーバーを使用すると、複数のクライアントが 1 つのファイルを扱うときに発生しがちな更新の不整合を防げるだけでなく、社内におけるファイル展開や共有をスムーズに行えるようになります。また、ファイルを集中管理することによって、ファイルが複数台のコンピューターに分散配置されてしまう状態を防ぎ、データ流出の可能性を最小限に抑えます。

　ファイルサーバーにおいて重要な設定が「**アクセス権**」と「**クォータ**」です。アクセス権は、誰（どのグループ）が、どのファイル（ディレクトリ）に対して、どこまで（フルコントロール／変更／読み取りなど）できるかの設定です。すべてのファイルにみんながアクセスできる、そんなオープンな企業はこの世に存在しません。ファイルサーバーは Active Directory と連携して、アクセス権を設定することによって、情報漏えいのリスクを軽減できたり、人為的なミスを予防できたりします。クォータは、ユーザーが使用しているディスク容量を監視したり、制限したりする設定です。どんなに大容量のストレージドライブを搭載したサーバーでも、無尽蔵にデータを保存できるわけではありません。ファイルサーバーは Active Directory などと連携して、クォータを設定することによって、ディスク容量不足を回避できます。

▍ NAS という選択肢

　ファイルサーバーと同じ役割を持つ機器に「**NAS(Network Attached Storage)**」があります。NAS はファイルサーバーの機能だけに特化したアプライアンスサーバーです。ストレージドライブに NIC が付いたようなものと考えるとイメージしやすいかもしれません。NAS を使用すると、OS やソフトウェアをインストールする必要がなく、簡単かつお手軽にファイル共有環境を構築できます。また、最近の NAS は、Active Directory と連携できるだけでなく、独自のキャッシュ（一時保存）機能があったり、遠隔地にバックアップする機能があったりと、データに関して至れり尽くせりな感じになってきました。

プラス 1 　Windows OS は主に「SMB」、Linux OS は「NFS」というプロトコルを使用してファイル共有を行います。

● ファイルサーバーの動き

ファイルサーバーを利用すると、ネットワーク上の複数のコンピューターでファイルを共有したり、やりとりしたりすることができます。

ファイルサーバーの機能
- 各フォルダーに対して、誰がどこまで利用可能かアクセス権を設定できる
- 各フォルダーに対して、ユーザーごとに保存できる容量を設定できる
- 各フォルダーに対して、保存できるファイルの種類を制限できる

ファイルサーバーのメリット
- 複数のユーザーで同じファイルを扱うときに生じがちな、更新の不整合を防げる
- 社内へのファイル展開をスムーズに行える
- ファイルを集中管理することで、バックアップが容易になる。また、データ流出の可能性を最小限に抑えられる

● NASはファイルサーバーの機能に特化した製品

NASはファイルサーバーと同等の機能を提供するだけでなく、独自のキャッシュ機能やバックアップ機能など、便利な機能を備えています。

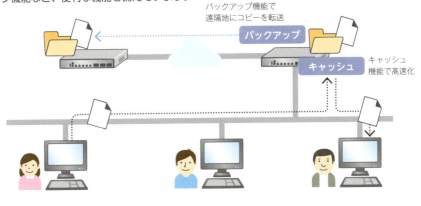

関連用語　Active Directory ▶ p.90　アプライアンスサーバー ▶ p.74

Chapter 4 パスワード管理の悩みをシステムで解決する

08 SSOサーバーの役割

「**SSO（Single Sign On）**」とは、一度のユーザー認証でいろいろな Web サービスにアクセスできるようにする仕組みのことです。SSO を提供するサーバーのことを「**SSO サーバー**」といい、利用サービスの数が多い企業などでよく使用されています。皆さんも Web サイトでユーザー名やパスワードを聞かれて、「あー、またパスワードか…」とうんざりしたことはありませんか。**SSO はいろいろなサービスの認証処理をまとめて行うことによって、ユーザーを煩わしいパスワード管理から解放します**。また、ユーザー名やアクセス権などの認証情報を一元管理することによって、管理者が行うユーザーの運用管理をシンプルにします。

SSO は、社内サービスの認証を行う「**エージェント方式**」「**リバースプロキシ方式**」と、社内サービスだけでなく、社外サービスをまたいで認証を行う「**SAML 方式**」があります。エージェント方式は、システムを構成するサーバーに認証用のエージェントプログラムをインストールし、そのプログラム経由で SSO サーバーと認証情報をやりとりします。リバースプロキシ方式は、SSO サーバーがユーザーの認証要求を受け付けると、認証サーバーとの認証処理を代理で行い、その結果をもとに背後の Web サーバーにデータを中継します。SAML 方式は、複数のクラウドサービスで SSO するときなどに使用します。「IdP（Identity Provider）」と呼ばれるサーバーが SSO サーバー的な役割を担い、そこで認証に成功したら、「SP（Service Provider）」と呼ばれる連携サービスにも認証なしでログインできるようになります。

多要素認証でセキュリティレベルを上げる

ユーザーの利便性を劇的に向上させる SSO ですが、IT の世界において、**利便性とセキュリティはトレードオフの関係にあることを忘れてはいけません**。SSO は、SSO サーバー（SAML の場合は IdP）にログインするユーザー名とパスワードが生命線になります。この 2 つが流出すると、連携しているすべてのサービスに容易にアクセスできるようになり、セキュリティが完全に崩壊します。そこで、単純なパスワード認証だけでなく、SMS 認証やスマホアプリ認証などを組み合わせる「**多要素認証**」をあわせて検討する必要があるでしょう。

> **プラス 1** 代表的な IdP が Windows Server の機能である「ADFS」、代表的な SP がマイクロソフトの「Microsoft 365」、セールスフォース・ドットコムの「Salesforce」です。

● シングルサインオン（一度の認証）でいろいろなシステムにアクセス

SSOサービスを利用すると、ユーザーはパスワードの管理に煩わされることがなくなり、管理者にとってもユーザーの管理作業がシンプルになります。

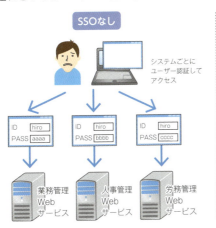

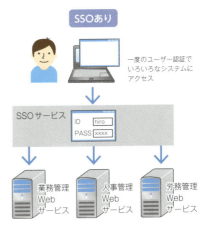

● 3種類のSSO

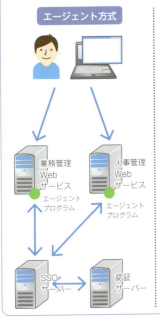

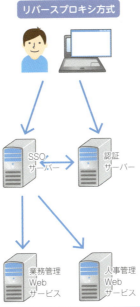

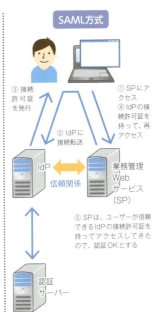

関連用語　Webサーバー ▶ p.114　クラウドサービス ▶ p.58　多要素認証 ▶ p.106　パスワード認証 ▶ p.106

Chapter 4　IP電話システムで、通話相手を特定したり呼び出したりする

09 SIPサーバーの役割

SIP（シップ）サーバーは「SIP（Session Initiation Protocol）」というプロトコルを使用して、IP電話の呼制御（こせいぎょ）を行うサーバーです。「呼制御」とは電話をかけたり、切ったりするための処理のことをいいます。SIPサーバーは「**レジストラサービス**」「**ロケーションサービス**」「**プロキシサービス**」「**リダイレクトサービス**」という4つのサービスが連携して動作することによって、呼制御処理を実現しています。ここではIP電話を使用するときに最低限必要な「レジストラサービス」「ロケーションサービス」「プロキシサービス」を説明します。

■ 電話をかける前にまず対応表を作る

レジストラサービスは、IP電話を登録するためのサービスです。IP電話から登録メッセージを受け取ると、IP電話の名前である「**SIP URI**」とIPアドレスの登録を受け付け、その情報をロケーションサービスに渡します。ロケーションサービスは、その情報をもとにSIP URIとIPアドレスの対応表を作ります。**対応表をSIPサーバーにまとめることによって、煩雑になりがちなIP電話の情報を一元的に管理します。**

■ 対応表で相手を探す

プロキシサービスは、SIPメッセージを適切な相手に転送するためのサービスです。IP電話で電話をかけると、プロキシサービスが発信通知メッセージを受け取ります。プロキシサービスはロケーションサービスの対応表を検索し、そのIPアドレスに発信通知メッセージを転送します。相手が受話器を上げると、あとはSIPサーバーを介さずに、IP電話同士で直接通話が始まります。SIPサーバーは電話の「ぷるるるる…」という呼び出し音を転送して、つないであげるところまでが仕事です。お膳立てが終了したら、あとはIP電話に任せます。なお、IP電話同士でやりとりされる通話の音声にはSIPではなく、「**RTP（Real-time Transfer Protocol）**」というストリーミングプロトコルを使用します。

プラス1　IP電話でやりとりされるデータは遅延に敏感で、ちょっとしたことで途切れ途切れになります。そこで、そのデータが優先的に処理されるように、ネットワーク機器でQoS（優先制御）を設定します。

イメージでつかもう！

● SIPサーバーはIP電話をかけるときに使う

SIPサーバーは、**SIP**というプロトコルを使用して、IP電話をかけたり切ったりするための機能を提供します。IP電話を利用できるようにするためには、最初にレジストラサービスにIP電話機を登録します。

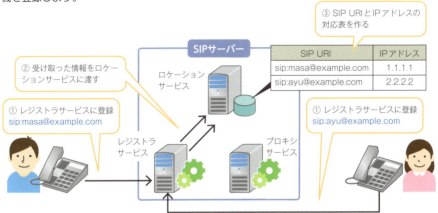

電話をかけるときは、登録された情報を使って相手の電話を呼び出します。

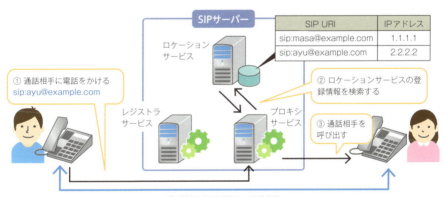

ここではSIPサーバーの各サービスを別々のサーバーで表しましたが、実際には1台の物理サーバーの中で動かすことが一般的です。

関連用語　IPアドレス ▶ p.38　プロトコル ▶ p.30

Chapter **4**　クライアントの代理として Web サイトと通信を行う

10 プロキシサーバーの役割

　プロキシサーバーのプロキシ（proxy）は、英語で「代理」という意味です。**プロキシサーバーはその名のとおり、クライアントからインターネットに対する通信を代理で行うサーバーです**。クライアントの通信をいったん受け取り、クライアントに代わってインターネットにアクセスします。人によって「プロクシサーバー」や「キャッシュサーバー」と言ったり、ネットスラング（ネット上の俗語）では「串」と言ったりしますが、すべて同じです。プロキシサーバーを導入すると、インターネットに対する通信を一元的に管理できるようになったり、その通信を効率化できるようになったりするため、企業でよく導入されています。

　以前のプロキシサーバーは、よく閲覧される Web サイトのデータを一時的にためておいて、クライアントに返す「キャッシュ機能」をメインに利用していました。キャッシュ機能は限りあるインターネット回線帯域（容量）を効率的に利用できるようになるため、回線帯域が小さい環境で一定の効果を発揮していました。しかし、最近はキャッシュ機能の効果が薄い動的な Web ページが多くなり、また、そもそもの回線帯域が大きくなったため、それだけの目的でプロキシサーバーを導入することは少なくなりました。

■ セキュリティ機能の強化

　最近のプロキシサーバーは、「**URL フィルタリング**」や「**アンチウイルス**」など、セキュリティ機能を強化することによって進化を続けています。URL フィルタリングはアクセスできるサイトを限定する機能です。プロキシサーバーはいろいろなサイトの URL をカテゴリー別に分類して、データベースとして保持しています。たとえば「違法性・犯罪性の高いサイト」「アダルトサイト」…のような感じです。プロキシサーバーはクライアントがアクセスしようとしている URL を見て、データベースと照合し、アクセスの許可／拒否を判断します。また、アンチウイルスはウイルス対策の機能です。プロキシサーバーはウイルス対策ソフトの定義ファイルのようなものを「シグネチャ」として保持しています。**プロキシサーバーはクライアントがやりとりするファイルをいったん内部で展開し、シグネチャと照合します。**

プラス 1　マイクロソフトの Microsoft 365 は、インターネット上のサーバーに対して大量にアクセスするため、プロキシサーバーを通らないようにネットワーク機器で制御したりします。

イメージでつかもう！

● 以前のプロキシサーバーの役割

プロキシサーバーは、クライアントからインターネットに対する通信を代理で行うサーバーです。

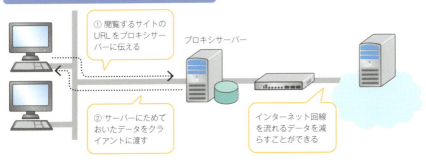

プロキシサーバーにキャッシュデータがない場合は、①でクライアントから伝えられたURLにプロキシサーバーがアクセスし、データを取得します。そして、得られたデータをクライアントに渡します。

● 最近のプロキシサーバーの役割

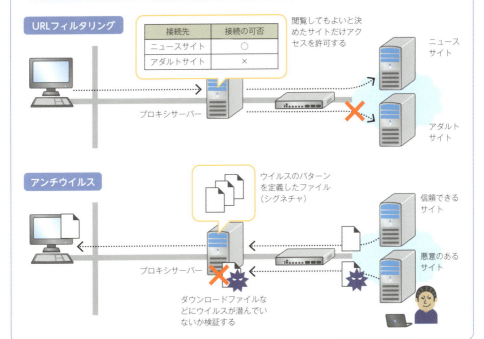

関連用語　URL ▶p.116　次世代ファイアウォール ▶p.162　データベース ▶p.126

Chapter **4**　電子メールをあて先のユーザーの利用するサーバーまで届ける

11 送信メールサーバーの役割

　メールサービスもインターネットを支える重要なサービスのひとつです。メールサービスを提供するサーバーのことを「**メールサーバー**」といいます。メールサーバーには、メールを配送する「**SMTP サーバー**」と、ユーザーに送り届ける「**POP サーバー**」「**IMAP サーバー**」があります。

　SMTP サーバーは、「SMTP(Simple Mail Transfer Protocol)」というプロトコルを利用して、メールを配送するサーバーです。SMTP サーバーはメールソフトウェアからメールデータを受け取ると、宛先メールアドレスのアットマーク（@）より後ろに記述されているドメイン名を見て、DNS でそのドメイン名の SMTP サーバーを探します。DNS によって、そのドメイン名の SMTP サーバーの IP アドレスがわかったら、その IP アドレスに対してメールデータを送信します。**ここでのSMTP サーバーは郵便ポストをイメージするとわかりやすいかもしれません**。SMTP サーバーという郵便ポストに手紙を投函すると、あとはネットワークという郵便車が郵送してくれます。

　メールを受け取ったあて先側の SMTP サーバーは、あて先メールアドレスのアットマーク（@）より前に記述されているユーザー名を見て、ユーザーごとに用意されているストレージ領域「メールボックス」にメールデータを振り分け、格納します。**メールボックスは最寄りの郵便局の私書箱をイメージするとわかりやすいかもしれません**。ここまでが SMTP サーバーのお仕事です。この時点では、まだ相手に対してメールが届いているわけではありません。

■ SMTP のセキュリティ対策

　SMTP は標準で認証機能や暗号化機能を持っていません。したがって、誰かになりすましてメールサーバーにメールを送りつけることができますし、途中でメールを盗聴・改ざんしようと思えばできてしまいます。そこで、拡張的に作られた機能が「**SMTP-AUTH(SMTP 認証)**」と「**SMTPS(SMTP over SSL)**」です。SMTP-AUTH はユーザーがメールを送信する前にユーザー名とパスワードで認証する機能です。SMTPS は SMTP を「SSL/TLS」で暗号化する機能です。

プラス1　SMTPS は、「STARTTLS」という拡張機能で、お互い SMTPS に対応していることを確認した後に、認証・暗号化処理を行います。

100

イメージでつかもう！

● メール送信の流れ

SMTPサーバーは**SMTP**というプロトコルを利用して、メールを送信するサーバーです。自社のSMTPサーバーは、メールを受け取ると、今度はSMTPクライアントとなって、相手先のSMTPサーバーへメールを送信します。

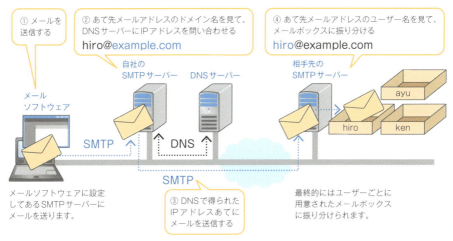

● SMTPのセキュリティ機能

SMTPは標準で暗号化機能や認証機能を持っていないため、**SMTP-AUTH**や**SMTPS**という拡張機能を利用して、セキュリティを確保します。

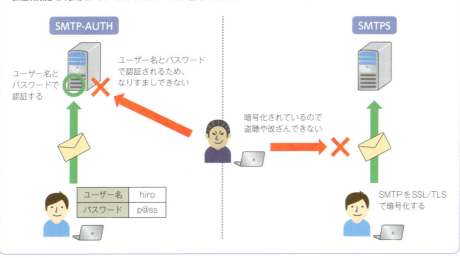

関連用語　DNS ▶p.84　IMAPサーバー ▶p.102　IPアドレス ▶p.38　Microsoft Exchange Server ▶p.104
　　　　　POPサーバー ▶p.102　ドメイン名 ▶p.84　SSL/TLS ▶p.118

Chapter **4**　サーバーに保管しているメールをユーザーに届ける

12 受信メールサーバーの役割

　「メールボックス」という私書箱に入ったメールを、ユーザーに届けるサーバーが「**POP サーバー**」と「**IMAP サーバー**」です。最後にユーザーにメールを届けるのは、SMTP サーバーではなく、POP/IMAP サーバーのお仕事です。POP/IMAP サーバーはメールソフトウェアから「私のメールをください」というリクエストを受け取ると、「**POP(Post Office Protocol)**」や「**IMAP(Internet Message Access Protocol)**」というプロトコルを利用して、メールを届けます。

　メールの仕組みの中で、最後の部分だけ異なるプロトコルを使用するのには、しっかりとした理由があります。SMTP はデータを送信したいときに送信する「プッシュ型」のプロトコルです。プッシュ型のプロトコルは、電源がずっとオンになっているサーバーに対する通信や、サーバー間の通信であれば、リアルタイムにデータを転送できます。しかし、必ずしもユーザーのパソコンの電源がオンになっているとは限りません。そこで、電源がオンになっていて、かつ欲しいときにだけメールボックスのメールをダウンロードできるように、最後の受信だけ「プル型」のプロトコルを使用しています。メールソフトウェアは手動、あるいは定期的に POP/IMAP サーバーに「私のメールをください」とリクエストします。**POP/IMAP サーバーはメールソフトウェアから受け取ったユーザー名とパスワードを認証し、認証に成功したら、メールボックスからメールを取り出し、転送します。**

POP サーバーと IMAP サーバー

　POP サーバーと IMAP サーバーは「メールをメールボックスから取り出す」という点においては同じですが、メールデータの管理方法が異なります。POP サーバーのメールデータはメールソフトウェアにダウンロードされて、メールソフトウェア上で管理されます。それに対して、IMAP サーバーのメールデータはメールソフトウェアにダウンロードされずに、メールサーバー上で管理されます。また、どちらも標準で暗号化機能を持っていないため、SSL/TLS で暗号化した「**POPS(POP over SSL/TLS)**」と「**IMAPS(IMAP over SSL/TLS)**」でそれぞれセキュリティを確保します。

プラス 1　Gmail や Yahoo! メールをはじめとする Web メールは、Web メールサーバーを通じて、HTTPS でメールサーバー上のメールを閲覧したり、メールを送信したりしています。

イメージでつかもう！

● メール受信の流れ

POP/IMAPサーバーはPOPやIMAPというプロトコルを利用して、ユーザーにメールを届けるサーバーです。ユーザーは、メールボックスという私書箱に入った自分のメールを受け取りに行きます。

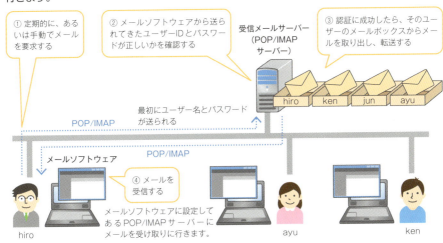

メールはSMTPでメールボックスへ届けられ、POP/IMAPでメールボックスから取り出される仕組みになっています。

● POPとIMAP

POPとIMAPはメールデータの管理場所が異なります。POPはメールデータをメールソフトウェアにダウンロードし、メールソフトウェア上で管理します。IMAPはメールデータをメールソフトウェアにダウンロードせずに、メールサーバー上で管理します。

プロトコル	POP	IMAP
メールデータの管理場所	メールソフトウェア	メールサーバー
暗号化機能	POPS	IMAPS
代表的なメリット	サーバーのストレージ領域を節約できる	複数の端末でメールを見ることができる
代表的なデメリット	1台の端末でしかメールを見ることができない	サーバーのストレージ領域を圧迫する

関連用語　SMTPサーバー ▶ p.100　SSL/TLS ▶ p.118　プロトコル ▶ p.30

Chapter 4 メールサービス、グループウェアサービスを提供する

13 Microsoft Exchange Serverの役割

Microsoft Exchange Server は、メールサービスやグループウェアサービスを統合的に提供する、マイクロソフトのサーバーソフトウェアです。メールだけでなく、予定表やタスク、連絡先の管理など、いろいろなサービスを統合的に備えており、マイクロソフト製品を使用している企業で幅広く使用されています。Exchange Server には、Exchange Server 2013 や Exchange Server 2016、Exchange Server 2019 など、いくつかのバージョンがあります。本書では Exchange Server 2019 を例に説明します。

■ クライアントアクセスサービスとバックエンドサービス

Exchange Server 2019 のサーバー（メールボックスサーバー）では、「クライアントアクセスサービス」と「バックエンドサービス」が動作しています。クライアントアクセスサービスは、パソコン（Outlook ／ Outlook on the Web）やスマートフォン、タブレット（Outlook モバイルアプリ／ Exchange ActiveSync）など、いろいろなクライアントのリクエストを代理で受け付け、Active Directory でユーザーを認証した後、バックエンドサービスへ転送します。バックエンドサービスは、受け取ったリクエストをもとに、メールをメールボックスに格納したり、スケジュールを登録したり、いろいろな処理を行います。

■ クラウド環境で Exchange Server

Microsoft Exchange Server はマイクロソフトが提供するクラウドサービス「Microsoft 365」の Exchange Online でも使用することができます。**Exchange Online はクラウド環境オンリーの構成だけでなく、オンプレミス環境と連携したハイブリッドクラウド構成にすることもでき、いろいろな要件に柔軟に対応できます。**なお、ハイブリッド構成にするときには、いくつかの前提条件があります。インターネット上に公開されているマニュアルを参考にしつつ、構築してください。

プラス1 Microsoft 365 は、情報共有サービスの「SharePoint Online」やコミュニケーションツールの「Microsoft Teams」などで構成されるクラウドサービスです。

イメージでつかもう！

● メールや予定表、連絡先、タスクなど、仕事で使うサービスを統合的に提供

Microsoft Exchange Serverは、メールサービスやグループウェアサービスを提供するマイクロソフトのオンプレミス製品です。そのクラウド版がMicrosoft 365のExchange Onlineです。

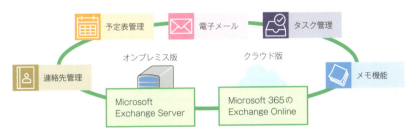

● クライアントアクセスサービスとバックエンドサービスで構成されている

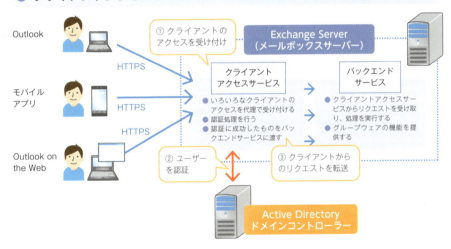

● ハイブリッド構成にもできる

関連用語　Active Directory ▶p.90　HTTPS ▶p.118　SaaS ▶p.58　オンプレミス型 ▶p.56　クラウド型 ▶p.56
ハイブリッドクラウド型 ▶p.56

COLUMN

パスワードだけに頼らない

　世の中に最も普及しているセキュリティといえば、ユーザー ID とパスワードでユーザー認証を行う「パスワード認証」です。パスワード認証は、SNS やオンラインゲームサイトなど、ありとあらゆるところで使用されています。パスワード認証のメリットは、何といっても「利便性」です。ユーザー ID とパスワードさえ覚えておけば、どのコンピューターでもログインできます。

　しかし、この利便性は、同時にデメリットにもなる点に注意が必要です。これはどんなことにおいても言えることですが、利便性とセキュリティリスクはいつも隣り合わせにあることを認識しておきましょう。ユーザー ID もパスワードも、結局のところ、ただの文字列です。ユーザー ID とパスワードさえわかれば、誰でもその人になりすましてログインすることができてしまいます。そこで、最近はパスワード認証に別の方式を組み合わせてセキュリティ強度を高める、「多要素認証」の利用が広がっています。具体的には、以下のような認証を組み合わせて使用します。

- **ワンタイムパスワード（OTP、One Time Password）**
　一定時間ごとに自動的に変更されるパスワード「ワンタイムパスワード」を使用する認証方法です。ユーザーはスマートフォンアプリやメールを通じてワンタイムパスワードを受け取り、パスワードとあわせて入力します。

- **画像認証（CAPTCHA）**
　画像を使用する認証方法です。ユーザーは Web サイト上にある画像の中に埋め込まれている歪んだ文字列や数列を読み取り、パスワードとあわせて入力します。

- **証明書認証**
　デジタル証明書を使用する認証方法です。ユーザーはあらかじめコンピューターに自分自身を証明する「デジタル証明書（クライアント証明書）」というファイルをインストールしておき、サーバーにアクセスします。デジタル証明書による認証に成功したら、パスワードを入力します。

Chapter

5

公開サーバーの基本

インターネットにいるクライアントに
対してサービスを提供するサーバー
のことを「公開サーバー」といいま
す。本章では、公開サーバーの配
置や、代表的な公開サーバーが持つ
役割について解説します。

Chapter **5** インターネット上のクライアントにサービスを提供する

01 公開サーバーの配置

公開サーバーとは、オンプレミスの DMZ(オンプレミス環境において、インターネットから接続できるネットワーク)、あるいはクラウド上に配置して、インターネット上のクライアントに対してサービスを提供するサーバーです。DMZ とクラウドのどちらに配置するかは、既存システムとの連携や自社の運用管理能力、コストなど、いろいろな要素をもとに決めていきます。公開サーバーは、24 時間 365 日の常時稼働が基本で、高度な運用管理能力を要求されます。DNS サーバー（コンテンツサーバー）や Web サーバーなど、対外サービスに直結する、影響度の高いサーバーだけをクラウド上に配置したりして、バランスのよい運用管理レベルを保つ必要があります。ちなみに、**オンプレミスであろうとクラウドであろうと、提供するサービスに変わりはありません。**運用方法（起動方法や停止方法など）が変わるだけです。

オンプレミスにある既存のシステムと連携する必要がある公開サーバーは、クラウドよりも DMZ に配置したほうが効率的でしょう。もちろんクラウド上のサーバーであっても既存システムと連携できないわけではないですが、クラウド上のサーバーは物理的に遠くにある分、通信速度や応答速度、通信品質が落ちてしまいます。既存システムと密接に関わるシステムは、無理にクラウド上に配置せず、オンプレミスの DMZ に配置したほうが無難でしょう。

■ クラウドサービスを使用するときは料金に注意

クラウドサービスの多くは、毎月の使用量（稼働時間やデータ転送量など）によって課金する料金体系を採用しています。そのため、インターネットから「DDoS (Distributed Denial of Service) 攻撃」を受けたり、何かがバズって大量のアクセスがあったりすると、すさまじい料金を請求されたりします。また、クラウドサービスも障害が発生しないわけではありません。当然ながら、クラウドサービスに障害が発生すると、サービスを提供できなくなります。**クラウド上に配置することによって、運用管理リスクを移転できますが、別のリスクが新たに生まれることをしっかり認識しておいてください。**

プラス **1** DDoS 攻撃はインターネット上にある複数のコンピューターを乗っ取り、特定のサーバーに大量のリクエスト・データを送りつけることによって、サービス停止に追い込む攻撃です。

イメージでつかもう！

● **既存システムとの連携やランニングコストなど、多様な条件を考慮する**

公開サーバーは、インターネット上のクライアントにサービスを提供するサーバーです。オンプレミスのDMZに配置する場合と、クラウドに配置する場合があります。

クラウド上に配置

- コンピューターやネットワーク機器などのハードウェアや、設置スペース、ケーブル配線が必要ない
- ハードウェアの管理をクラウドサービス事業者に任せることができる
- オフィスが被災しても、クラウド上のサーバーからサービスを継続できる
- オンプレミスのサーバーと連携する場合は、通信のセキュリティを確保する必要がある。また、距離が離れている分、通信速度や応答速度、通信品質が落ちる
- 使用量による課金体系の場合、予想を超えたトラフィックが発生すると高額な料金を請求される可能性がある
- クラウドサービス自体に障害が発生すると、サービスを提供できなくなる

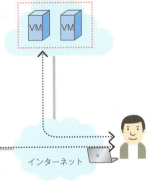

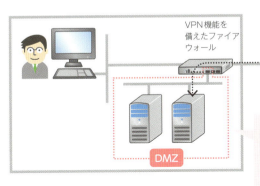

DMZに配置

- オンプレミスのサーバーと連携する場合は、通信効率がよい
- 公開サーバーは常時稼働が基本なので、高度な運用管理能力が求められる
- コンピューターやネットワーク機器などのハードウェアや、設置スペース、ケーブル配線が必要になる

 それぞれの公開サーバーの役割などは、本章で解説していきます。

関連用語　DMZ ▶ p.158　DNSサーバー ▶ p.84　Webサーバー ▶ p.114　オンプレミス ▶ p.110　クラウド ▶ p.112

Chapter 5 公開までの6つのステップ

02 オンプレミス環境の サーバーを公開する

オンプレミス環境のサーバーをインターネットに公開するには、以下のステップを踏みます。

① インターネット回線を敷設する

インターネットにサーバーを公開するには、当然ながらインターネット回線を敷設しなければなりません。「フレッツ光」や「au ひかり」など、**料金や回線速度、サポート体制、納期などを考慮して、どの回線にするか決定します。**

② グローバル IP アドレスを取得する

①で選択したインターネット回線に対応するプロバイダー（インターネット回線事業者）を選択し、固定のグローバル IP アドレスを取得します。動的 IP アドレスでも公開できますが、ほとんどの場合、固定 IP アドレスで公開します。

③ ドメイン名を申請する

ドメイン取得業者（レジストラ）にドメイン名を申請し、自社の DNS サーバー（コンテンツサーバー）やドメイン取得業者の管理ツールで、②で取得したグローバル IP アドレスと関連付けます。「お名前 .com」や「Value Domain」などのサービスで、比較的簡単にドメイン名を取得できます。

④ 公開サーバーを用意する

インターネットに公開するサーバーを用意し、「DMZ（DeMilitarized Zone、非武装地帯）」と呼ばれる、インターネット上のユーザーがアクセスできる公開サーバー専用のネットワークに配置します。サーバーにはプライベート IP アドレスを設定します。

⑤ ファイアウォールで NAT する

ファイアウォールで、サーバーに設定したプライベート IP アドレスと②で取得したグローバル IP アドレスを 1 対 1 に NAT（アドレス変換）します。

⑥ ファイアウォールで必要な通信を許可する

最後に、ファイアウォールで、公開サーバーに対する通信を許可します。**許可する通信は必要最小限に抑え、セキュリティレベルを落とさないようにします。**

> **プラス 1** 固定のグローバル IP アドレスを取得する場合は、取得する IP アドレスの個数にも気を配りましょう。どの IP アドレスをどのサーバーに割り当てるか、あらかじめ確認します。

イメージでつかもう！

● 各種のサービス事業者と契約して、自社の環境を設定する

インターネット回線やグローバルIPアドレスなどは、サービス事業者を選定して、サービスとして利用することになります。

1 インターネット回線サービスを選定する
料金や回線速度、サポート体制などを考慮して選びます。

2 グローバルIPアドレスを取得する
1 で選んだインターネット回線に対応するプロバイダーを選定し、固定グローバルIPアドレスを取得します。

3 ドメイン名を申請する
ドメイン取得業者（レジストラ）にドメイン名を申請し、自社のDNSサーバー（コンテンツサーバー）やドメイン取得業者の管理ツールで、2 で取得したグローバルIPアドレスと関連付けます。

4 公開サーバーを用意する
公開サーバーを用意し、ネットワークの中のDMZに配置します。

5 ファイアウォールでNATする
公開サーバーに設定したプライベートIPアドレスと、2 で取得した固定グローバルIPアドレスを、ファイアウォールでNATします。

6 ファイアウォールで必要な通信を許可する
公開サーバーに対する通信を許可するよう、ファイアウォールを設定します。

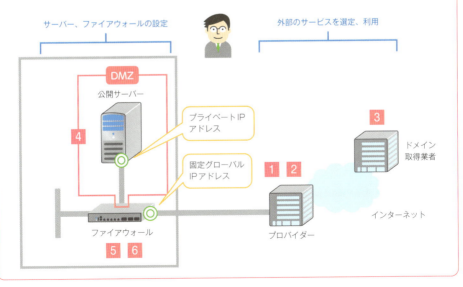

関連用語　DMZ ▶p.158　NAT ▶p.50　グローバルIPアドレス ▶p.40　ドメイン名 ▶p.84
ファイアウォール ▶p.154　プライベートIPアドレス ▶p.40

Chapter **5**　公開までの 7 つのステップ

03 クラウド環境のサーバーを公開する

　クラウド環境のサーバーをインターネットに公開するには、以下のステップを踏みます。ここでは Amazon Web Services（AWS）を例に説明します。

① ドメイン名を申請する

　ドメイン取得業者（レジストラ）でドメイン名を申請します。

② 公開サーバーを用意する

　Amazon EC2 上に公開するインスタンス（仮想マシン）を作成します。マシンイメージやそれに割り当てるリソース（CPU、メモリ、ストレージ、ネットワークキャパシティなど）を指定し、任意のサーバーソフトウェアをインストールします。

③ グローバル IP アドレスを割り当てる

　「Elastic IP アドレス」は固定のグローバル IP アドレスを割り当てる AWS のサービスです。インスタンスにはデフォルトで動的 IP アドレスが割り当てられます。そこで、Elastic IP アドレスを利用して、固定のグローバル IP アドレスを割り当てます。

④ Route 53 に管理するドメインを登録する

　「Route 53」は AWS が提供する DNS サービスです。Route 53 に①で取得したドメイン名を登録すると、そのドメイン名を管理する DNS サーバーが表示されます。

⑤ レジストラに DNS サーバーを登録する

　ドメイン名を申請したレジストラに、④で表示された DNS サーバーを登録します。

⑥ 固定 IP アドレスとホスト名を関連付ける

　Route 53 でドメイン名（FQDN）と、Elastic IP アドレスによって割り当てられたグローバル IP アドレスを関連付けます。

⑦ セキュリティグループで必要な通信を許可する

　インスタンスに対する通信は、EC2 のファイアウォール機能である「セキュリティグループ」で制御します。セキュリティグループで必要な通信を許可します。オンプレミス同様、必要最小限の通信のみ許可し、セキュリティレベルを落とさないようにします。

プラス 1　AWS には負荷分散機能を提供する「Elastic Load Balancing」や、ストレージを提供する「S3」など、さまざまなサービスが用意されています。

イメージでつかもう！

● クラウド事業者とドメイン取得業者と契約して、クラウド環境を設定する

クラウドサービス上で、仮想サーバーや固定グローバルIPアドレス、DNSサーバー、セキュリティなど、各種の設定を行います。

1 ドメイン名を申請する
ドメイン取得業者（レジストラ）にドメイン名を申請します。

2 公開サーバーを用意する
クラウドサービス上で公開するインスタンス（仮想マシン）を用意し、サーバーソフトウェアをインストールします。

3 グローバルIPアドレスを割り当てる
クラウドサービスの提供する固定グローバルIPアドレスを取得し、2 で用意したインスタンス（仮想マシン）に割り当てます。

4 クラウドのDNSサービスにドメイン名を登録する
クラウドサービスのDNSサービスに、1 で取得したドメイン名を登録します。すると、そのドメインを管理するDNSサーバーが表示されます。

5 ドメイン取得業者に、クラウドのDNSサーバーを登録する
ドメイン取得業者のWebサイトで、クラウドサービスのDNSサーバーを登録します。

6 クラウドのDNSサービスで、グローバルIPアドレスとドメイン名を関連付ける
クラウドサービスのDNSサービスで、ドメイン名（FQDN）と固定グローバルIPアドレスを関連付けます。

7 クラウドのファイアウォール機能で必要な通信を許可する
クラウドサービスは、独自のファイアウォール機能を提供しています。それを利用して、インスタンス（仮想マシン）への通信を許可するように設定します。

関連用語 DNSサーバー ▶ p.84　クラウドサービス ▶ p.58　グローバルIPアドレス ▶ p.40　ドメイン名 ▶ p.84
ファイアウォール ▶ p.154

| Chapter 5 | Web サイトは 3 種類のサーバーで構成される

04 Web三階層モデル

インターネットは、情報配信やチャット、動画配信など、ありとあらゆる Web サイトで満ち溢れています。Web サイトを構成する Web ページは、「**静的 Web ページ**」と「**動的 Web ページ**」に大別できます。

静的 Web ページは、誰かが更新しないかぎり同じ表示内容を返す Web ページです。あらかじめ保存されているファイルを応答するだけなので、処理負荷が軽く、表示も高速です。しかし、ページに載せる情報が更新されるたびに、対象ファイルを更新する必要があり、管理に手間がかかります。静的 Web ページの Web サイトで有名なのが俳優の阿部寛さんの Web サイトです。爆速でたびたび話題に上ります。

動的 Web ページは、アクセスするたびに表示内容が変化する Web ページです。Web ブラウザからのリクエスト（要求）を受け取ってから Web ページを生成するので、ユーザーに応じた最新の情報を配信できます。しかし、その分処理負荷がかかり、表示にも多少時間がかかります。Amazon や YouTube など、有名どころの Web サイトはほぼ動的 Web ページで構成されています。

■ Web サービスシステムは 3 つのサーバーで処理する

一般的な Web サービスシステムは、上述の 2 種類の Web ページを「**Web（HTTP、HTTPS）サーバー**」「**アプリケーションサーバー**」「**データベースサーバー**」で役割分担して処理することによって、負荷の分散や処理の効率化を図っています。

Web サーバーは、Web ブラウザからリクエスト（要求）を受け付け、静的 Web ページに対するリクエストだったら、そのファイルを返します。動的 Web ページに対するリクエストだったらアプリケーションサーバーに処理をリクエストします。

アプリケーションサーバーは、Web サーバーからのリクエストに応じてプログラムを実行し、動的 Web ページを生成して、Web サーバーに返します。また、データベースサーバーの情報が必要なときは、データベースサーバーにリクエストし、返ってきたデータをもとに動的 Web ページを生成して、Web サーバーに返します。

データベースサーバーは、顧客情報や商品情報など、いろいろなデータを「**データベース**」という大きな表のようなものに格納し、アプリケーションサーバーからのリクエストに応じて、データを検索したり、更新したりして、処理結果を返します。

イメージでつかもう！

● 静的Webページと動的Webページ

インターネット上のWebサイトは、静的ページか動的ページのどちらかで構成されています。

静的ページ
- ファイルが更新されないかぎり、同じ表示結果になる
- 表示が高速
- 処理負荷が小さい
- 更新管理に手間がかかる

動的ページ
- アクセスするたびに異なる表示結果になる
- 表示に時間がかかる
- 処理負荷が大きい
- 常に最新の情報を配信できる

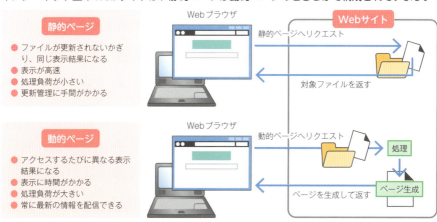

● Webサービスシステムは基本的に3層構造

一般的なWebサービスシステムは「Webサーバー」「アプリケーションサーバー」「データベースサーバー」という3つのサーバーで処理をしています。

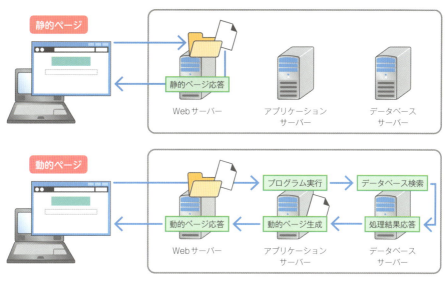

関連用語　Webサーバー ▶ p.114　アプリケーションサーバー ▶ p.124　データベースサーバー ▶ p.126

Chapter **5** インターネットでさまざまな情報を配信する

05 HTTPサーバーの役割

Webサービスを提供するプロトコルの中で、重要なプロトコルのひとつが
「**HTTP (HyperText Transfer Protocol)**」です。HTTPは仕組みが単純なわり
に、いろいろなことができることから、爆発的に普及し、インターネットには欠かせ
ないものになりました。

HTTPサービスを提供するサーバーソフトウェアといえば、オープンソースの
「Apache」と「nginx」、Windows OSに標準で同梱されている「IIS (Internet
Information Services)」の3つが有名です。この3つは「HTTPサービスを提供
する」という点では共通していますが、対応するOSや得意とする分野が異なります。
ApacheはLinux OS上で動作させるのが一般的ですが、Windows OS上でも動作
し、動的ページの処理を得意としています。nginxはLinux OS上で動作させるの
が一般的ですが、Windows OS上でも動作し、静的ページの処理を得意としていま
す。IISはWindows OS上で動作し、Windows系の開発環境（.NET）との連携を
得意とします。

■ HTTPの仕組みとURL

HTTPは、Webブラウザからのリクエストに対して、HTTPサーバーがレスポン
スする、**典型的なクライアント／サーバープロトコル**です。WebブラウザはHTTP
サーバーにアクセスするとき、「**メソッド**」と「**URL (Uniform Resource
Locator)**」の一部を含めて送ります。メソッドは、サーバーに対して何をお願いし
たいかを表しています。たとえば、ファイルを送ってほしい場合は「GET」、逆にファ
イルを送りたい場合は「POST」となります。また、URLは目的のファイルを表し
ています。URLは「http://www.example.jp/news/index.html」のように表記し
ます。最初の「http」のことを「スキーム名」といいます。Webブラウザはこのスキー
ム名を見て、使用するプロトコルを決定します。また、スキーム名から後ろのドメイ
ン名（www.example.jp）を見て、サーバーの場所を絞り込み、ファイルパス（/
news/index.html）を見て、サーバー上の目的のファイルを絞り込みます。

116

プラス1 最近のWebブラウザは、HTTPでWebサイトに接続するとセキュリティの警告メッセージを表示し
ます。現在はHTTPをSSL/TLSで暗号化したHTTPSで接続することが推奨されています。

イメージでつかもう！

● HTTPの仕組み

インターネットで最も重要なサービスがWebサービスです。Webサービスを提供するプロトコルのうち、最も重要なプロトコルが「**HTTP**」です。

HTTPクライアント（Webブラウザ）はHTTPのルールにのっとって、URLとメソッドでサーバーにリクエストします。HTTPサーバーは、リクエストに対する処理結果をレスポンスします。

● URLで目的のファイルやプログラムを絞り込む

HTTPクライアント（Webブラウザ）は、URLを利用して、使用するプロトコルや目的のサーバー、ファイルを指定します。

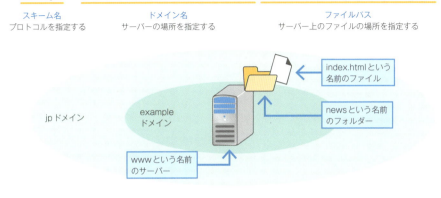

関連用語　HTTPS サーバー ▶ p.118　Linux 系サーバー OS ▶ p.72　Windows 系サーバー OS ▶ p.72
クライアント／サーバーシステム ▶ p.14　ドメイン名 ▶ p.84　プロトコル ▶ p.30

Chapter 5　情報の「盗聴」「改ざん」「なりすまし」を防ぐ

06 HTTPSサーバーの役割

　長らくWebサービスを支えてきたHTTPですが、暗号化機能を備えていないということもあって、そのままの状態で使用することが少なくなってきました。それどころか最近のWebブラウザは、HTTPのWebサイトにアクセスすると「安全ではありません」的な警告を表示する仕様になっています。暗号化機能のないHTTPを「**SSL(Secure Socket Layer)/TLS(Transport Layer Security)**」で暗号化したプロトコルを「**HTTPS(HTTP Secure)**」といい、そのサービスを提供するサーバーを「**HTTPSサーバー**」といいます。HTTPSサーバーにアクセスするときには、Webブラウザに「https://」から始まるURLを入力します。アクセスに成功すると、安全を表す錠前のアイコンが表示されます。

　SSL/TLSを提供するソフトウェアには、オープンソースの「OpenSSL」とWindows OSに標準で同梱されている「IIS」があります。この2つは「SSL/TLSサービスを提供する」という点では共通しています。OpenSSLを使用する場合は、HTTPサーバーソフトウェアのApacheやnginxからOpenSSLを呼び出し、SSL/TLSの処理だけをOpenSSLに任せるのが一般的です。IISを使用する場合は、IISに標準で搭載されているSSL/TLS機能を使用します。

SSL/TLSで守ることができる脅威

　SSL/TLSは大切なデータを守るために「**暗号化**」「**ハッシュ化**」「**デジタル証明書**」を組み合わせて使用しています。暗号化は決まったルールに基づいてデータを変換する技術です。暗号化によって、第三者がデータを盗み見る「**盗聴**」を防止できます。ハッシュ化は、データから固定長のデータ（ハッシュ値）を取り出す計算のことです。データをやりとりするときに送信側と受信側でハッシュ値を計算し、同じであればデータが変わっていないことがわかります。ハッシュ化によって、第三者がデータを書き換える「**改ざん**」を防止できます。デジタル証明書はそのクライアントが本物であることを証明するファイルです。デジタル証明書によって、第三者が別の人を詐称する「**なりすまし**」を防止できます。

プラス1　SSLをバージョンアップさせたものがTLSです。SSL/TLSは、SSL2.0 → SSL3.0 → TLS1.0 → TLS1.1 → TLS1.2 → TLS1.3とバージョンアップしています。

イメージでつかもう！

インターネットを流れるデータは、第三者にのぞき見られたり、書き換えられたりする恐れがあります。その対策として、データを暗号化したり、通信相手を認証したりする「SSL/TLS」というプロトコルを使用します。

最近のWebブラウザで、HTTPのWebサイトに対すると、警告が表示されます。

HTTPSで通信するときには、Webブラウザに「https://」から始まるURLを入力します。

SSL/TLSを使用することで、データの「盗聴」、データの「改ざん」、通信相手の「なりすまし」を防止できます。

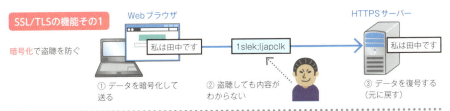

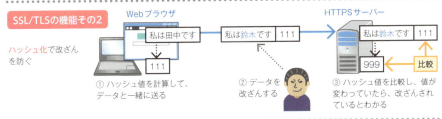

5 公開サーバーの基本

関連用語　Apache ▶ p.116　HTTP ▶ p.116　HTTPサーバー ▶ p.116　IIS ▶ p.116　nginx ▶ p.116
Windows系サーバーOS ▶ p.72　暗号化技術 ▶ p.120

Chapter 5 SSL/TLS では 2 つを組み合わせて使用している

07 2つの暗号化技術

5-06 節で紹介した SSL/TLS には、暗号化するための「**暗号化鍵**」と、暗号を解く（復号する）ための「**復号鍵**」が必要になります。ネットワークにおける暗号化方式は、クライアントとサーバーの暗号化鍵、復号鍵の持ち方によって、「**共通鍵暗号化方式**」と「**公開鍵暗号化方式**」の 2 種類に大別できます。

共通鍵暗号化方式は、暗号化鍵と復号鍵に同じ鍵を使用する暗号化方式です。あらかじめクライアントとサーバーで同じ鍵を共有しておき、クライアントが暗号化鍵で暗号化し、サーバーが暗号化鍵とまったく同じ復号鍵で復号します。共通鍵暗号化方式は仕組みが単純なので、処理負荷がかかりません。しかし、あらかじめ鍵を共有しておく必要があるため、鍵の配送方法を考慮する必要があります（鍵配送問題）。

公開鍵暗号化方式は、暗号化鍵と復号鍵に異なる鍵を使用する暗号化方式です。サーバーは暗号化鍵と復号鍵でペアを作ります。暗号化鍵と復号鍵は数学的な関係から成り立っていて、この暗号化鍵で暗号化したものは、この復号鍵でしか復号できないようになっています。また、片方の鍵からもう片方の鍵を導き出せないようになっています。サーバーは暗号化鍵を「**公開鍵**」としてインターネット上に公開し、復号鍵を「**秘密鍵**」としてサーバーで保持します。クライアントは公開されている公開鍵でデータを暗号化して、サーバーに送ります。サーバーは秘密鍵を使用して復号します。公開鍵暗号化方式は暗号化鍵を公開しているものの、その鍵からは復号鍵を算出できないようになっているので、鍵配送問題を気にする必要がありません。しかし、処理が複雑なので、処理負荷を考慮する必要があります。

SSL/TLS は 2 つの暗号化方式を組み合わせる

共通鍵暗号化方式と公開鍵暗号化方式は、メリットとデメリットがちょうど逆の関係になっています。**SSL/TLS はこの 2 つを組み合わせて使用することで、処理の効率化を図っています**。最初に公開鍵暗号化方式を使用して、サーバーとクライアントで共有しないといけない鍵を交換します。その後、公開鍵暗号化方式を使用して交換した鍵を使用して、共通鍵暗号化方式でデータをやりとりします。公開鍵暗号化方式で鍵配送問題を解決し、共通鍵暗号化方式で処理負荷問題を解決しています。

プラス 1 公開鍵（を含むデジタル証明書）は、Active Directory のグループポリシーや OS のアップデートなどによって、クライアントに配布されます。

● 共通鍵暗号化方式と公開鍵暗号化方式

コンピューター通信におけるデータの暗号化と復号には、鍵（となるデータ）を使用します。

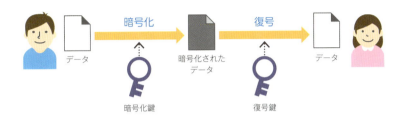

暗号化と復号に同じ鍵を使用する方法が**共通鍵暗号化方式**です。
暗号化と復号に別々の鍵を使用する方法が**公開鍵暗号化方式**です。

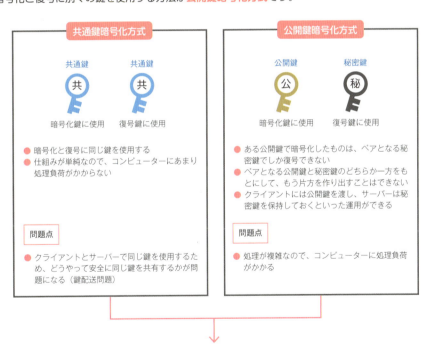

SSL/TLSではこの2つの暗号化方式を組み合わせて、
鍵配送問題と処理負荷の問題を解決しています。

関連用語　HTTPSサーバー ▶ p.118　SSL/TLS ▶ p.118

Chapter **5**　デジタル証明書、認証局、暗号化技術の関係

08 SSL/TLSで 接続できるまで

HTTPS サーバーにはデジタル証明書が必要

　SSL/TLS では、デジタル証明書で通信相手が本物かどうか確認します。したがって、HTTPS サーバーには必ずデジタル証明書をインストールする必要があります。証明書をインストールするまでの手続きについて、順を追って説明しましょう。

① 管理者はサーバーソフトウェアで秘密鍵と公開鍵を作成し、公開鍵を「CSR（certificate signing request、証明書署名要求）」として「認証局（CA 局）」という第三者機関に提出します。秘密鍵は大切に保管します。
② 認証局は与信判断した後、CSR に「デジタル署名」という「あなたは正真正銘本物ですよ」というお墨付きを与え、「デジタル証明書」として管理者に返します。
③ 管理者は認証局から返ってきたデジタル証明書をサーバーにインストールします。

SSL/TLS で暗号化するまでの流れ

　デジタル証明書をインストールしたら、いよいよ HTTPS サーバーとして動作するようになり、クライアントの HTTPS サービス要求を受け付けられるようになります。

① サーバーはクライアントが接続してくると（① -1）、公開鍵やデジタル署名を含むデジタル証明書を返します（① -2）。
② クライアントはデジタル署名を見て、デジタル証明書が正しいものかどうかチェックします（② -1）。正しいものであれば共通鍵の素を公開鍵で暗号化して、サーバーに送ります（② -2）。正しいものでなければ、エラーを返します。
③ サーバーは送られてきたデータを自分の秘密鍵で復号し、共通鍵の素を取り出します。ここまでの処理を「SSL ハンドシェイク」といいます。
④ クライアントとサーバーは、それぞれ共通鍵の素から共通鍵を作り（④ -1）、それを利用して暗号化通信を行います（④ -2）。

プラス1　サーバーにデジタル証明書をインストールするときには「中間証明書」もあわせてインストールします。中間証明書は、認証局の証明書とサーバーの証明書をつなぐ証明書です。

イメージでつかもう！

● HTTPSサーバーにはデジタル証明書が必要

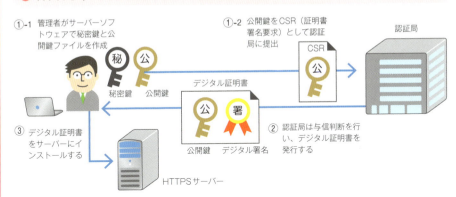

● SSL/TLSで暗号化するときの流れ

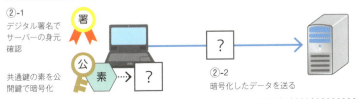

関連用語　HTTPSサーバー ▶p.118　共通鍵 ▶p.120　公開鍵 ▶p.120　秘密鍵 ▶p.120

Chapter 5 動的ページを生成する Web サービスシステムの中心で働く

09 アプリケーションサーバーの役割

アプリケーションサーバー（AP サーバー）は、**Web サーバーとデータベースサーバー（DB サーバー）の仲介役になって、プログラムを実行するサーバー**です。Web サーバーからリクエストを受け取ると、Java や Ruby、PHP などのプログラミング言語で記述されたプログラムに沿って処理を行い、必要に応じて DB サーバーに接続します。また、プログラムの処理結果やデータベースから受け取った情報を動的ページに反映し、Web サーバーに返します。

アプリケーションサービスを提供するソフトウェアは、プログラムで使用しているプログラミング言語によって異なります。たとえば、Java を使用している場合は、オラクルの「WebLogic Server」やオープンソースの「Apache Tomcat」、Ruby を使用している場合は、オープンソースの「Unicorn」や「Puma」などがあります。ちなみに、PHP を使用する場合は Apache が、また、.NET 言語（VB、C# など）を使用する場合は IIS がそれぞれ Web サーバーの一機能としてアプリケーションサービスを統合しているため、別途アプリケーションサーバーを用意する必要はありません。この場合は、Web サーバー（Web サービス＋アプリケーションサービス）と DB サーバーの 2 層構造の Web システムになります。

アプリケーションサーバーの持つ機能

AP サーバーの持つ機能の中で代表的なものが「**データベース接続機能**」と「**トランザクション管理機能**」です。データベース接続機能は、その名のとおり、データベースに接続する機能です。AP サーバーは、DB サーバー上のデータベースに接続して、データの読み取りや書き込みを行うだけではなく、その接続を維持することによって、接続処理の負荷を軽減します。トランザクション管理機能は、Web アプリケーションにおける一連の処理を管理する機能です。たとえば、オンラインショッピングの場合、商品を選び、カートに入れて、購入するまでが一連の処理になります。AP サーバーは、このような一連の処理を「**トランザクション**」として管理し、3 つのサーバーが連携する処理に不整合が発生しないようにします。

プラス 1 AP サーバーと DB サーバーはインターネットには公開しません。本書では Web サービスシステムの流れを考慮して、公開サーバーの章で取り扱っています。

● APサーバーはWebサーバーとDBサーバーの仲介役

動的ページを生成するためにプログラムを実行し、DBサーバーにアクセスしたり、その結果を動的ページに反映したりします。

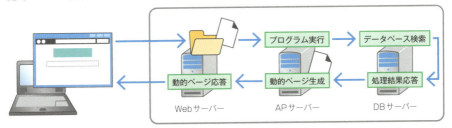

実行するプログラムが使用しているプログラミング言語によって、使用するアプリケーションサーバーソフトウェアが異なります。Webサーバーがその機能を内包している場合もあります。

プログラミング言語	アプリケーションサーバーソフトウェア
Java	WebLogic Server（オラクル）、Apache Tomcat（オープンソース）
Ruby	Unicorn（オープンソース）、Puma（オープンソース）
PHP	Apache（オープンソース、mod_phpモジュールで使用可能）、PHP-FPM（オープンソース）
.NET言語（C#やVBなど）	IIS（マイクロソフト、機能として統合）

● データベース接続機能とトランザクション管理機能

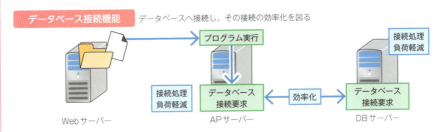

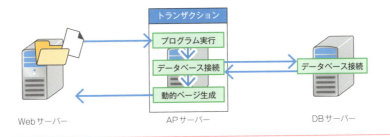

関連用語　Webサーバー ▶ p.114　データベースサーバー ▶ p.126

Chapter **5** 動的な Web コンテンツのデータを管理する

10 データベースサーバーの役割

アプリケーションサーバー（AP サーバー）からの要求に基づいて、データを検索したり、更新（登録、修正、削除）したりするサーバーを「**データベースサーバー（DBサーバー）**」といいます。また、データベースの機能を提供するソフトウェアのことを「**データベースマネジメントシステム（DataBase Management System、DBMS)**」といいます。

■ 現在の主流はリレーショナルデータベース

現在主流のデータベースが「**リレーショナルデータベース**」です。リレーショナルデータベースは、列（column）と行（row）で構成された 2 次元の表（テーブル）でデータを管理するタイプのデータベースです。2 次元の表と聞くと少々難しく感じられるかもしれませんが、簡単に言うと Excel のシートのようなものです。その中にデータを入れていくことによって、データを整理します。リレーショナルデータベースの機能を提供するソフトウェアが「**RDBMS(Relational Database Management System)**」です。代表的な RDBMS といえば、オラクルの「Oracle Database」やオープンソースの「MySQL」、マイクロソフトの「SQL Server」です。

■ データベースは SQL で操作

リレーショナルデータベースを操作するときに使用する言語が「**SQL(Structured Query Language)**」です。SQL は、どの RDBMS を使用したとしても、ある程度共通して使用できます。AP サーバーは、SQL コマンドを DB サーバーに送信することによって、データの「検索」「登録」「修正」「削除」を行います。これら 4 つの基本操作には、それぞれ以下のような SQL コマンドが定義されています。

① データの検索：SELECT

② データの登録：INSERT

③ データの修正：UPDATE

④ データの削除：DELETE

プラス 1　RDBMS の他に最近注目されているデータベースが「NoSQL」です。NoSQL は RDBMS の機能の一部を省略することによって、処理の高速化を図っています。

126

● Webアプリケーションに必要なデータをまとめて管理

データをためておき、管理するのが **DBサーバー** です。Webシステムの3層構造では、APサーバーから要求されたデータの「検索」「登録」「修正」「削除」を行います。

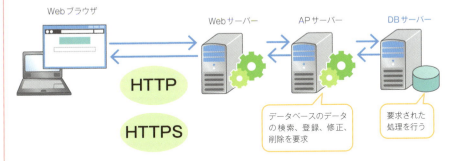

現在は、**リレーショナルデータベース**（RDB）という、列と行で構成された表でデータを管理するデータベースが主流です。

商品番号	商品名	単価	在庫数
1	プレート	1000円	100
2	マグカップ	1500円	100
3	お弁当箱	2000円	100

注文番号	販売日	商品番号	注文数
1	2022/2/18	3	1
2	2022/2/20	1	4
3	2022/2/29	2	2

たとえば、商品番号という情報をもとにして関係性（リレーション）を持たせ、結合することができる。

注文番号	単価×注文数
2	4000円

代表的なデータベースサーバーソフトウェア（RDBMS製品）
- Oracle Database
- MySQL
- SQL Server

● リレーショナルデータベースはSQLで操作する

Webクライアントからの要求に応じて、WebアプリケーションからDBサーバーに **SQLコマンド** が送られてきます。
SELECT というコマンドが、データの検索に当たります。さまざまな条件を指定することで、好きな形でデータが取り出せます。

関連用語　アプリケーションサーバー ▶ p.124　Webサーバー ▶ p.114

Chapter **5** 安定的、かつ高速に Web サービスを提供する

11 CDNの役割

CDN(Content Delivery Network) とは、Web ページを構成するファイル（Web コンテンツ）を安定的、かつ高速に配信するために最適化されたインターネット上の Web サーバーネットワークのことです。CDN の仕組みを提供するサービスのことを「CDN サービス」といい、代表的な CDN サービス事業者として、Akamai や Fastly、Cloudflare などがあります。今や名立たる Web サイトのほとんどがこのサービスを利用して、Web コンテンツを配信しています。また、最近では、OS やゲーム、アプリケーションの更新プログラムから、動画や音楽などのマルチメディアコンテンツに至るまで、ありとあらゆるファイルが知らず知らずのうちに CDN サービスを介して配信されています。

■ オリジンサーバーとエッジサーバー

CDN は「**オリジンサーバー**」と「**エッジサーバー**」という 2 種類のサーバーで構成されています。オリジンサーバーは、オリジナルのファイルを持っている自社の Web サーバーです。インターネットに公開している自社の Web サーバーがこれに当たります。一方、エッジサーバーは、ユーザーのアクセスを代理で受け付け、オリジンサーバーから返ってきたファイルをキャッシュ（一時的に保持）する、CDN サービス事業者の Web サーバーです。世界各地に分散配置されています。

■ 近いエッジサーバーが応答する

ユーザーは Web サイトにアクセスすると、DNS の仕組みを利用して、物理的に距離が近いエッジサーバーに誘導されます。エッジサーバーは、ユーザーがアクセスしたファイルのキャッシュを持っていたら、即座に応答します。そのファイルのキャッシュを持っていなかったり、有効期限が切れていたりしたら、オリジンサーバーからファイルを手に入れて応答します。CDN を利用すると、ユーザーがやりとりする Web サーバーとの物理的な距離が近くなるため、応答時間が短くなり、ファイルのダウンロード速度が劇的に向上します。また、Web サービスに関わる処理の一部をエッジサーバーが行うことになるため、オリジンサーバーの負荷が軽減します。

イメージでつかもう！

● オリジンサーバーとエッジサーバー

CDNは、インターネット上に公開されているオリジンサーバーと、インターネット上に分散配置されているエッジサーバーという2種類のサーバーで構成されています。

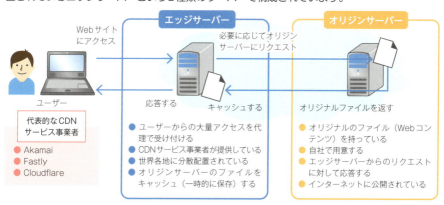

● 最寄りのエッジサーバーが応答する

DNSの仕組みを利用して、ユーザーを最寄りのエッジサーバーに誘導します。エッジサーバーは、キャッシュを持っていなかったり、キャッシュの有効期限が切れているときだけオリジンサーバーにアクセスします。

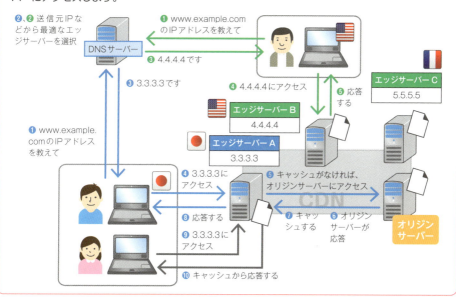

関連用語　DNS サーバー ▶ p.84　Web サーバー ▶ p.114

Chapter 5 ファイルの配布やアップロードの仕組みを提供する

12 FTPサーバーの役割

FTP サーバーは、「FTP（File Transfer Protocol）」を利用して、効率よくファイルを転送するサーバーです。FTP はインターネット創成期のころから今現在に至るまで、長い間使用され続けているプロトコルのひとつです。インターネット上で不特定多数の人にファイルを配布したり、Web サーバーにコンテンツをアップロードしたりするときなど、未だにいろいろな場面で使用されています。

FTP サービスを提供するサーバーソフトウェアとしては、Linux OS で動作する「vsftpd」と「ProFTPD」、Windows OS で動作する「IIS」の FTP サーバーがあります。一方、FTP クライアントソフトウェアは、Windows OS も Linux OS も標準機能として備えています。Windows OS だったら「コマンドプロンプト」から、Linux OS だったら「Terminal」から、ftp コマンドを入力することによって使用可能です。それ以外にも「FFFTP」や「FileZilla」など、FTP だけに特化した専用のソフトウェアもあります。

▌ FTP は暗号化されていない

FTP サーバーが持つ重要な機能のひとつが「**認証機能**」です。ユーザーごとにファイルを保管するスペース（ユーザーディレクトリ）を分けて、別のユーザーのファイルを見えないようにしたり、ユーザーごとに「読み取り」や「書き込み」のアクセス権限を付与したりできるようになっています。

いろいろな OS で安定的に使用できるということもあって、未だ現役で使用されている FTP ですが、1 つ致命的な弱点があります。それがセキュリティです。**FTPは認証機能を備えていますが、データの暗号化機能は備えていません**。したがって、やりとりされるデータは、すべて丸裸の状態でネットワークを流れます。セキュリティを考慮したいのであれば、FTP を SSL/TLS で暗号化した「**FTPS（FTP over SSL）**」や、SSH（Secure SHell）のファイル転送機能を FTP に似せて作った「**SFTP（SSH File Transfer Protocol）**」など、別のプロトコルへの移行を考える必要があるでしょう。なお、最近はどの FTP サーバーソフトウェアもどちらかの暗号化プロトコルに対応しているので、移行はしやすくなっています。

プラス1　SSH はサーバーやネットワーク機器にリモートアクセスするためのプロトコルです。暗号化や認証、ファイル転送など、幅広い機能を持っています。

イメージでつかもう！

●ファイルを転送するFTP

Webサーバーにファイルをアップロードするときなど、ファイルを効率よく転送するために使われるのが **FTP** というプロトコルです。

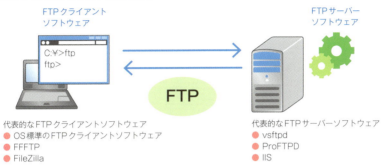

FTPサーバーには、アクセスしてくるユーザーを認証する機能があります。ユーザーごとにファイルを保管するスペースを分けて、利用させることができます。

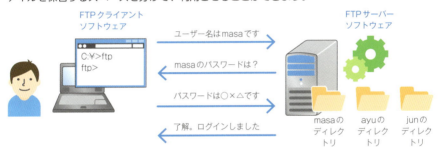

クライアントはFTPのルールにのっとって、各種のコマンドでサーバーに要求を伝えます。通信はコマンドのやりとりとデータ転送の2本立てで行われます。

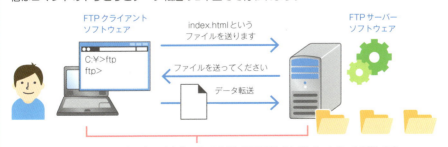

関連用語　SSH ▶p.172　SSL/TLS ▶p.118　Webサーバー ▶p.114　プロトコル ▶p.30

Chapter 5 インターネットを介した安全な通信を実現する

13 VPNサーバーの役割

インターネットなどのWAN(Wide Area Network、地理的な距離が離れた範囲のネットワーク）を利用して、仮想的な専用線を作る技術のことを「VPN(Virtual Private Network)」といいます。また、VPNによって作られた仮想的な専用線のことを「VPNトンネル」といいます。VPNを利用すると、高価な専用線を用意することなく本社と支社をつなぐことができたり、家のパソコンから社内システムを見られたり、いろいろな業務の効率化を図ることができます。

拠点間 VPN とリモートアクセス VPN

VPNは、遠隔地にある拠点のLANを接続する「拠点間VPN」と、遠隔地にいるユーザーを接続する「リモートアクセスVPN」に大別できます。拠点間VPNは、本社オフィスと支社オフィスを接続したり、オンプレミス環境とクラウド環境を接続したり、地理的に離れたところにある拠点のLANを接続するVPNです。対するリモートアクセスVPNは、在宅勤務をしているリモートワーカーや、出張中のビジネスマンなど、地理的に離れたところにいるユーザーを接続するVPNのことをいい、その接続を受け付けるサーバーのことを「VPNサーバー」といいます。

VPNサーバーは、インターネット上のユーザーがアクセスできるDMZにそれ専用のアプライアンスサーバーを配置したり、インターネットに接続しているルーターやファイアウォールのVPNサーバー機能を有効にしたりすることによって実現することが多いでしょう。

IPsec VPN と SSL VPN

リモートアクセスVPNには、「IPsec(Security Architecture for Internet Protocol)」というプロトコルでVPNトンネルの認証・暗号化を行う「IPsec VPN」と、SSL/TLSで認証・暗号化を行う「SSL VPN」があります。どちらも基本的な機能は変わりません。接続するときはOSの標準機能やメーカー独自のVPNクライアントソフトウェアなどを使用して、VPN用の仮想的なNICを作り、VPNサーバーに対してVPNトンネルを作ります。

プラス1 専用線は、通信事業者が提供する、1対1で接続する回線サービスです。回線帯域を占有できるため、高品質かつ安定的な通信を行うことができますが、とても高価です。

イメージでつかもう！

● 拠点間VPNとリモートアクセスVPN

インターネット上に暗号化された通信路（**VPNトンネル**）を作り、2点間を接続する仮想的な専用線のことをVPNといいます。VPNには、拠点のLANを接続する**拠点間VPN**と、ユーザーを接続する**リモートアクセスVPN**があります。

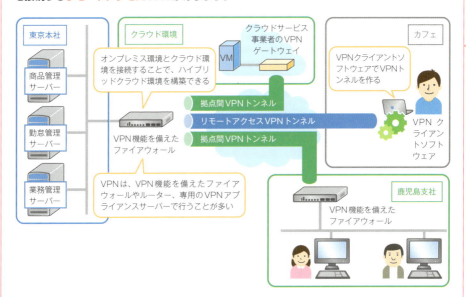

● IPsec VPNとSSL VPN

DMZ ▶p.158　NIC ▶p.70　SSL/TLS ▶p.118　アプライアンスサーバー ▶p.72
次世代ファイアウォール ▶p.162　ハイブリッドクラウド型 ▶p.56

133

COLUMN

サーバーがない？　サーバーレスコンピューティングサービスとは

　「サーバー」という単語を含む用語の中で、「サーバーレスコンピューティングサービス」も最近よく耳にするようになったもののひとつでしょう。サーバーレスコンピューティングサービスは、Python や Node.js などのプログラミング言語で記述されたコードをクラウド上にアップロードするだけで、プログラムを実行できるクラウドサービスです。AWS であれば「Lambda」、Azureであれば「Azure Functions」がこれに当たります。「サーバーレス」という名前から、何となくサーバーがないように感じてしまいますが、あくまで「管理するサーバーがない」「サーバーの存在を意識する必要がない」という意味合いであって、実際のサーバーはクラウドサービス事業者のネットワークの中にしっかりと存在しています。もう少し具体的に言うと、リクエストに応じて、必要なときにサーバーが起動し、処理が終わるとすぐに削除されます。

　サーバーレスコンピューティングサービスを使用すると、いちいちサーバーを構築したり、必要なソフトウェアをインストールしたりしなくても、いきなりプログラムを実行できるようになるため、サービスインまでの期間を大幅に短縮することができます。また、セキュリティパッチの適用やリソース（CPU使用率やメモリ使用率、ネットワーク使用率、ディスク使用率など）の監視のように、管理者にとって負荷になりがちなサーバーの運用管理をクラウドサービス事業者にお任せすることができます。しかし、その一方で使用する OS やソフトウェア、ネットワークなどを選択したり、細かく設定したりすることができないため、自由度が低く、柔軟性があるとは言えません。また、クラウドサービス自体に大規模な障害が発生すると、障害対応が完全にクラウドサービス事業者任せになってしまい、すぐに対応することができません。

　結局のところ、サーバーレスコンピューティングサービスも万能というわけではありません。よいところもあるし、悪いところもあります。クラウドサービスや提供するサービスの特性を理解したうえで、採用するかどうかを判断しましょう。

Chapter

6

サーバーを
障害から守る

長くサーバーを運用管理している
と、いろいろな障害に遭遇すること
になります。本章では、いつ何どき、
どんな障害が発生してもサービスを
提供できるように、いろいろな障害
対策技術について解説します。

Chapter 6　障害対策のさまざまな技術

01　サーバーに障害はつきもの

　どんなに高性能なコンピューターも、所詮は電気の力で動作する機械に過ぎません。長く使用していると、いつの日か必ずどこかが故障します。それが個人で使用するデスクトップパソコンやノートパソコンだったら、修理に出したり、買い直したりすればよいでしょう。しかし、それが重要なデータをたくさん保存しているサーバーで発生したとなると、そんなふうに簡単にはいきません。そこで、サーバーシステムでは、いつどこに障害が発生しても、継続してサービスを提供できるように、すべての構成要素（サーバーやそれを構成するパーツなど）について万全の対策を講じます。

障害対策の技術

　障害対策の技術は「冗長化技術」「バックアップ」に大別できます。**冗長化技術は同じ構成要素を複数組み合わせて、論理的に1つに見せる技術です。**「チーミング」「RAID」「クラスター」「サーバー負荷分散技術」「広域負荷分散技術」がこのタイプに分類されます。また、ここでいうバックアップはデータのバックアップではなく、**その要素の役割を別の方法で補完する技術です。**「UPS（無停電電源装置）」がこのタイプに分類されます。

どのレベルまで障害対策するか

　システムを構成するすべての要素は、障害対策しようと思えば「1つが壊れても次、それが壊れても次、それが壊れても次、……」というように、仕様が許すかぎり、何重にも対策を施すことができます。しかし、それではいくらお金があっても足りません。そこで、まずは一次障害（1つ目の障害）まで対応できるように、すべての要素を2つずつで構成します。この場合、同じ構成要素で同時に障害が起こったらサービスがダウンしてしまうので、すぐに機器を交換したり、サーバーを再起動したり、何らかの対応を実施する必要があります。次に、重要だったり、故障しやすい構成要素だけは二次障害（2つ目の障害）、3次障害（3つ目の障害）に対応できるように、つまり同じ構成要素が2つ以上同時に壊れてもよいように、3つ以上で構成します。

プラス1　サーバー負荷分散技術や広域負荷分散技術は、クライアントの通信を複数のサーバー、あるいはサイトに振り分ける技術であると同時に、冗長化の技術でもあります。

イメージでつかもう！

● いつどこに障害が発生しても大丈夫なように備えておくことが大切

万一、障害が発生してもサーバーが動作を継続できるように、また、保存されている重要なデータが失われないようにしておかなくてはなりません。
障害対策の主な技術として、「冗長化技術」と「バックアップ」があります。

障害対策の技術

種類	技術	概要
冗長化技術	チーミング	複数のNICを論理的に1つに見せる
	RAID	複数のストレージドライブを論理的に1つに見せる
	クラスター	複数のサーバーを論理的に1つに見せる
	サーバー負荷分散技術	複数のサーバーに通信を振り分けて処理負荷を分散する
	広域負荷分散技術	複数のサイトに通信を振り分けて処理負荷を分散する
バックアップ	UPS	停電時に給電したり、高電圧の電流をブロックしたりする

障害対策は、1つ目の障害まで対応できる二重化が基本です。あとは、コストや重要度に応じて、どの障害対策を適用するかを検討します。

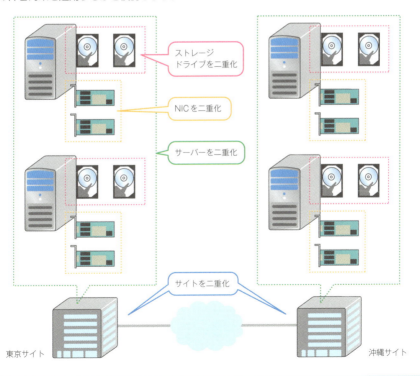

関連用語　RAID ▶p.138　UPS ▶p.142　クラスター ▶p.144　広域負荷分散技術 ▶p.148
サーバー負荷分散技術 ▶p.146　チーミング ▶p.140

Chapter 6 ストレージドライブの高速化とデータの保護を実現する

02 **RAID**

「RAID(Redundant Arrays of Inexpensive Disks)」は複数のストレージド
ライブ（HDD/SSD）を 1 つのドライブのように見せて、冗長化と高速化を図る技
術です。ストレージドライブはデータの書き込みや読み込みによって劣化しやすく、
壊れやすい部品のひとつです。データの損失は単なるサービスの損失ではなく、お金
や信頼の損失に直結します。そこで「RAID コントローラーカード」という専用カー
ドを使用して、RAID を組み、ドライブ障害時の影響を最小限に抑えます。RAID に
はデータの分散方法や冗長化方法によって、いくつかのタイプがあります。本書では、
サーバーでよく使用される「RAID1」「RAID5」「RAID1+0」を説明します。

主な RAID のタイプ

RAID1 は、「ミラーリング」という技術を利用している RAID タイプです。ミラー
リングは複数のドライブに対して、同じデータをコピーする技術です。したがって、
実際あるディスク容量の半分しかデータを書き込むことができません。しかし、1 台
のドライブが故障しても、もう 1 台のドライブに、故障したドライブとまったく同
じデータが残っているため、継続して処理を続けることができます。

RAID5 は、「分散パリティ」という技術を利用している RAID タイプです。「パ
リティ」とはデータを修復するためのデータです。RAID5 はデータとパリティを複
数のドライブに分散して保持することによって、信頼性とディスク容量の両立を実現
しています。パリティの保存領域が 1 台分必要なので、「実際あるディスク台数 -1」
台分のデータを書き込むことができます。1 台のドライブが故障しても、パリティを
利用してデータを復旧できるため、継続して処理を行うことができます。

RAID1+0 は RAID1 に RAID0 で使用されている「ストライピング」を追加した
RAID タイプです。ストライピングは、複数のドライブに分散してデータを書き込み、
高速化を図る技術です。RAID1+0 は、ミラーリングで冗長化しているディスクにス
トライピングで書き込む、という 2 段構えで処理を行います。通常時はストライピ
ングで高速化を図り、ディスク障害時はミラーリングでコピーしてあるデータを利用
して処理を行うため、速度と冗長性の両立を図ることができます。

プラス 1 ストレージドライブは劣化しやすく、壊れやすいため、最近のストレージアプライアンスサーバーは、
二次障害に対応した独自の RAID 機能を備えていたりします。

イメージでつかもう！

● RAIDの仕組み

RAIDは複数のストレージドライブ（HDD/SSD）を1つのストレージドライブのように見せて、冗長化と高速化を図る技術です。RAIDを組むことで、ドライブ障害時の影響を最小限に抑えることができます。
RAIDを組むにはRAIDコントローラーカードを使用します。

RAIDにはいくつかのタイプがありますが、サーバーでは一般的にRAID1、RAID5、RAID1+0が使われます。

RAID1（ミラーリング技術）

複数のドライブに同じデータをコピーします。
1台のドライブが故障しても処理が継続できますが、同じデータを複数のドライブで保持するのでディスク容量の面では非効率です。

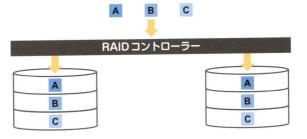

RAID5（分散パリティ技術）

データを修復するためのデータ（パリティ）を複数のドライブに分散して保持します。
信頼性とディスク容量の効率性を両立しています。

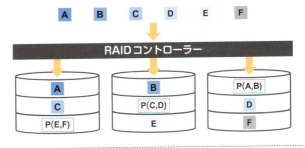

RAID1+0（ミラーリング技術+ストライピング技術）

複数のドライブにデータを分散し、分散したデータを冗長化して保持します。
複数のドライブにデータを書き込むことで読み込み／書き込みが高速に行えます。また、同じデータを複数のドライブで保持することで、ドライブの故障にも対応できます。

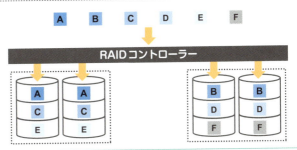

関連用語　ストレージドライブ ▶ p.70

Chapter 6 サーバーの通信の耐障害性向上と帯域拡張を実現する

03 チーミング

　複数の物理 NIC を 1 つの論理 NIC にまとめる技術を「**チーミング（Teaming）**」、あるいは「**ボンディング（Bonding)**」といいます。チーミングは NIC の冗長化や帯域拡張を実現する技術として、一般的に使用されています。チーミングは、OS の標準機能や専用のソフトウェアで実装できます。チーミングを設定すると、1 つの論理 NIC が新しく作成されるので、その論理 NIC に対して設定を施していきます。また、そのときにあわせてチーミングの方式も設定していきます。チーミングの方式にはいくつかありますが、よく使用されるのは「**フォールトトレランス**」と「**ロードバランシング**」です。

■ フォールトトレランスで冗長化

　フォールトトレランスは、物理 NIC を冗長化する方式です。通常時はアクティブ／スタンバイで動作し、片方の物理 NIC（アクティブ NIC）だけを使用して、通信します。そして、アクティブ NIC に障害が発生したら、もう片方の物理 NIC で通信するようになります。フォールトトレランスは通常時にアクティブ NIC だけを使用するため、2 つの物理 NIC の通信量には完全な偏りが生じます。また、アクティブ NIC の処理がいっぱいいっぱいになってしまったら、それ以上の通信には対応しきれません。しかし、動作がシンプルなので運用管理しやすく、管理者には好まれる傾向にあります。

■ ロードバランシングで帯域拡張

　ロードバランシングは、物理 NIC を冗長化しつつ、帯域拡張も図る方式です。通常時はアクティブ／アクティブで動作し、両方の物理 NIC を使用して通信します。片方の物理 NIC に障害が発生したら、もう片方の物理 NIC で通信します。ロードバランシングは通常時に両方の物理 NIC を使用するため、フォールトトレランスに比べて、たくさんの通信を行うことができます。しかし、データがどちらの物理 NIC を使用しているか把握しづらく、運用管理しづらいという特徴があります。

プラス 1　チーミングするときは、各物理 NIC を異なるスイッチに接続し、スイッチの障害に対応できるようにします。本書の図は理解しやすくなるように、1 台のスイッチに接続する形で描いています。

イメージでつかもう！

● チーミングの働き

チーミングは、複数の物理NICを、論理的に1つのNICとして扱う技術です。これにより、物理NICのいずれかが故障しても通信が継続できたり、通信帯域を拡張できたりします。

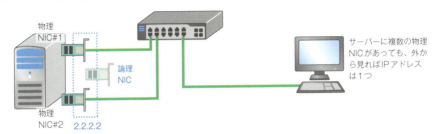

チーミングを設定すると、論理NICが新しく作成されるので、その論理NICに対してIPアドレスを設定します。

● チーミングの方式は2種類

フォールトトレランス

フォールトトレランスとは、「障害に耐性がある」という意味です。
通信帯域はNIC1つ分にしかなりませんが、データの流れが把握しやすいです。

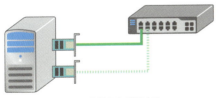
通常時は片側だけで通信する

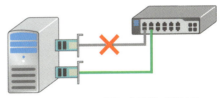
障害発生時には、もう片側の物理NICで通信する

ロードバランシング

ロードバランシングとは、「負荷のバランスをとる」という意味です。
通信帯域がNICの数だけ増えますが、データの流れが把握しづらいです。

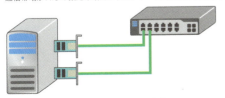
通常時は両方の物理NICで通信する

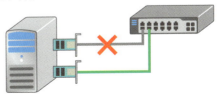
障害発生時には、片側の物理NICで通信する

Chapter **6** 電源障害からサーバーを保護する

04 UPS

　システム障害の原因で特に多いのが「電源障害」です。電源障害は、予期せぬ停電や落雷による過電圧など、急な電源環境の変化にサーバーが対応できないことによって発生します。この電源障害からサーバーを守る機器が「**UPS(無停電電源装置)**」です。UPSは停電時にサーバーを安全にシャットダウンさせたり、商用電源とサーバーの間に入って電源環境を調整したりと、電源に関するいろいろな役割を担っています。

適切にシャットダウンさせる

　予期せぬ停電によって、サーバーの電源が落ちてしまうと、適切にシャットダウン処理ができず、データが破損したり、ハードウェアが壊れたりすることがあります。**UPSは停電時も適切にシャットダウン処理を行わせる仕組みを持っています。**

　UPSは商用電源に停電が発生すると、内蔵しているバッテリーを使用して、接続されているサーバーに給電を行います。あわせて、あらかじめサーバーにインストールしておいたソフトウェアに対して「停電状態になったこと」を通知します。そのコマンドを受け取ったソフトウェアは通常と同じ手順でシャットダウン処理を行います。UPSはあらかじめ設定しておいた時間が経過したら、給電を停止します。なお、シャットダウン処理にかかる時間はサーバーによって異なります。あらかじめシャットダウン処理にかかる時間を測定しておき、それをもとに給電停止時間を設定します。

電源環境を整える

　商用電源の急激な電圧低下や過電圧の発生も、停電と同じく、データの破損や損失、ハードウェアの故障を引き起こす原因になります。UPSはそのような変化が発生したとしても、電圧を一定に保ち、接続されているサーバーへの影響を最小限にします。たとえば、近くに雷が落ちると、高電圧の電流（雷サージ）が電源ケーブルや電話線を伝って流れ込みます。**UPSは雷サージ保護機能によって、雷サージをブロックし、サーバーを保護します。**

プラス1　UPSの選定は、「接続する機器の合計消費電力」「接続する機器に対する給電方式」「シャットダウン時間の確保」という3つの観点で行います。

イメージでつかもう！

● UPSの働き

予期せぬ停電や、落雷による過電圧など、さまざまな電源障害からサーバーを守るために、UPSを利用します。

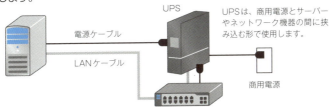

UPSは、商用電源とサーバーやネットワーク機器の間に挟み込む形で使用します。

● 停電時にはサーバーを自動的にシャットダウンさせる

停電が発生しても、サーバーへの給電を継続します。シャットダウンが完了した時間を見計らって、機器ごとに給電を止めていきます。

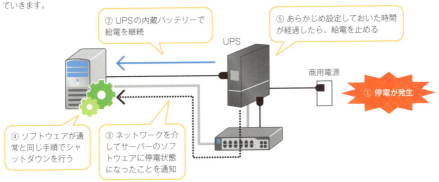

● 商用電源の急激な電圧の変化の影響を最小限にする

たとえば近くに雷が落ちた場合には、雷サージ保護機能がサーバーを保護します。

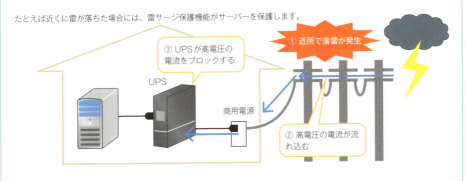

関連用語　計画停電 ▶ p.150

Chapter **6** 複数台のサーバーで障害に備える

05 クラスター

　複数のサーバーをネットワークに接続し、全体で1台のサーバーのように見せる技術を「**クラスター**」といいます。クラスターを組むと、1台のサーバーが故障しても、他のサーバーで処理を継続でき、サービスの信頼性を確保できます。クラスターを組むために必要なソフトウェアが「**クラスターソフトウェア**」です。クラスターソフトウェアで有名なのが、Windows Serverに標準で付属しているWSFC（Windows Server Failover Clustering）やオープンソースのPacemaker^{ペースメーカー}です。

　クラスターでは、クライアントからのリクエストを「**仮想IPアドレス**」という論理的なIPアドレスで受け付けます。クラスターはこの仮想IPアドレスをアクティブサーバーに付け替えることによって、サーバーの冗長性を確保しています。クラスターにおける最も基本的な構成であるアクティブサーバー1台、スタンバイサーバー1台の冗長化構成を例に説明しましょう。クラスターソフトウェアは、「**ハートビート**」という機能によって、一定間隔で通信し合い、お互いが生きていることを確認し合います。スタンバイサーバーは、アクティブサーバーからの応答がなくなると、アクティブサーバーに障害が発生したと判断し、アクティブサーバーになります。また、「**リソース監視**」という機能によって、自分自身のハードウェアやサービスの状態を監視します。アクティブサーバーは、自分自身の障害を検知すると、スタンバイサーバーにアクティブサーバーの役割を引き渡します。

■ クラスターの構成は大きく2種類

　クラスターの構成は、ストレージの持ち方によって「**共有ストレージ構成**」と「**データレプリケーション構成**」に大別されます。共有ストレージ構成は、複数のサーバーで共有するストレージを用意することによって、障害時におけるデータの整合性を確保する方式です。NASのような共有ストレージが必要ですが、拡張性が高く、大規模なシステムで採用されます。データレプリケーション構成は、ローカルストレージのコピーをネットワークで送ることによって、障害時におけるデータの整合性を確保する方式です。大容量のデータを扱うサーバーには不向きですが、共有ストレージを必要としないため、安価に構築でき、小規模なシステムで採用されます。

プラス1　ハートビートはそれ専用のネットワークを2つ用意して、複数の経路でやりとりするのが一般的です。2台のクラスター構成の場合は両サーバーを2つの専用ネットワークで接続します。

イメージでつかもう！

● 1台のサーバーが故障しても処理を継続できる

クラスターは、複数のサーバーをネットワークで接続し、1台のサーバーのように見せる技術です。1台のサーバーが故障しても、クライアントからの通信を受け付けるIPアドレス（仮想IPアドレス）を別のサーバーに付け替えて、処理を継続できます。

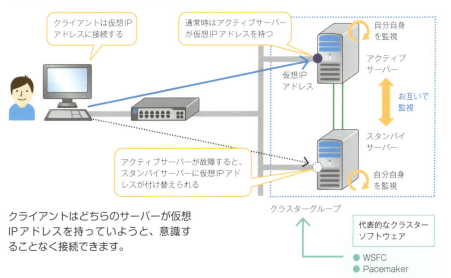

クライアントはどちらのサーバーが仮想IPアドレスを持っていようと、意識することなく接続できます。

代表的なクラスターソフトウェア
- WSFC
- Pacemaker

● 共有ストレージ構成とデータレプリケーション構成

クラスターの構成は、ストレージの持ち方によって、共有ストレージ構成とデータレプリケーション構成に大別できます。

共有ストレージ構成
複数のサーバーで共有するストレージを用意して、データの整合性を確保します。

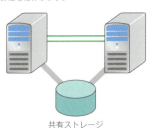

共有ストレージ

データレプリケーション構成
ストレージをまったく同じ内容で複製（レプリケーション）し、データの整合性を確保します。

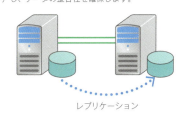

レプリケーション

Chapter **6**　複数のサーバーに通信を振り分けるいくつかの方法

06 サーバー負荷分散技術

複数のサーバーに通信を振り分け、処理負荷を分散する技術を「**サーバー負荷分散技術**」といいます。サーバー負荷分散技術は、システム全体としての処理能力を向上させることができたり、耐障害性を向上させることができたりと、いろいろなメリットがあります。負荷分散技術は「**DNS ラウンドロビン**」「**サーバータイプ**」「**アプライアンスサーバータイプ**」の 3 種類に分けることができます。

■ 3 種類のサーバー負荷分散技術の特徴

DNS ラウンドロビンは、DNS を利用して負荷分散を実現します。DNS サーバーで、1 つのドメイン名に複数の IP アドレスを登録しておき、クライアントからの問い合わせに対して、登録してある IP アドレスを順番に返す方式です。返答される IP アドレスが変わるため、クライアントの行き先が変わり、結果的にコネクションが振り分けられます。DNS ラウンドロビンは安価に導入することができますが、サーバーの障害に関係なく通信を振り分けてしまったり、振り分けが偏ってしまったりと、いろいろな面で問題があります。

サーバータイプは、サーバーにインストールしたソフトウェアを利用して負荷分散を実現します。Windows Server には「NLB（Network Load Balancer）」というソフトウェアが標準で付属しています。また、Linux 系サーバー OS は「LVS（Linux VirtualServer）」というソフトウェアをフリーでインストールすることができます。どちらもクラスターのオプションに近い機能なので、それほど複雑で柔軟な負荷分散はできませんが、比較的安価に導入することができます。

アプライアンスサーバータイプは「負荷分散装置」というサーバー負荷分散専用のアプライアンスサーバーを利用して、負荷分散を実現します。負荷分散装置にはF5 ネットワークスの BIG-IP シリーズや、シトリックスの NetScaler シリーズなどがあります。機器を別に用意する必要があるため、コストがかかります。しかし、専用の機器で負荷分散するため、複雑かつ柔軟に通信を振り分けることができます。また、クライアントからサーバーに対する通信を終端することによって、通信を効率化したり、SSL/TLS 暗号化された通信を復号してサーバーに渡したりできます。

プラス 1　Web サーバーソフトウェアの nginx（エンジンエックス）は、負荷分散機能を標準で備えており、アプライアンスサーバータイプと同じような動作をすることができます。

イメージでつかもう！

● サーバー負荷分散技術は3種類

サーバー負荷分散技術は、複数のサーバーに通信を振り分けて、処理負荷を分散する技術です。これにより、システム全体の処理能力の向上や、耐障害性の向上が図れます。

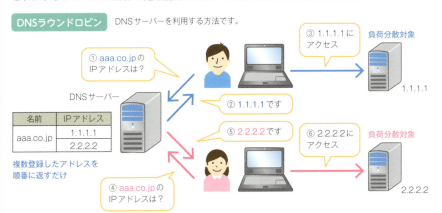

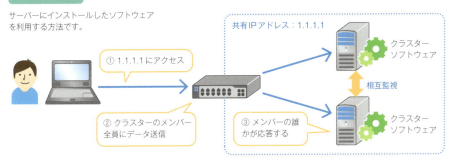

関連用語　DNSサーバー ▶ p.84　Linux系サーバーOS ▶ p.72　Windows系サーバーOS ▶ p.72
アプライアンスサーバー ▶ p.74　クラスター ▶ p.144　広域負荷分散技術 ▶ p.148　ドメイン名 ▶ p.84

147

6 サーバーを障害から守る

Chapter 6 サーバーを地理的に離れた場所に分散して災害に備える

07 広域負荷分散技術

　地理的に離れたサイト（場所）にあるサーバーに通信を振り分け、負荷分散する技術を「**広域負荷分散技術**」といいます。サーバー負荷分散技術のひとつであるDNSラウンドロビンでも、物理的に異なるサイトのIPアドレスを複数登録すれば、異なるサイトのサーバーに通信を振り分けることができます。しかし、DNSラウンドロビンはサーバー障害時にもそれを検知できなかったり、通信を均等に分散できなかったりと、負荷分散という観点から考えるといろいろな点で問題がありました。そこで、その問題を解決して、パワーアップさせたものが広域負荷分散技術です。

　広域負荷分散技術は、オンプレミス環境であれば負荷分散装置に広域負荷分散用のソフトウェアライセンスを追加することによって使用できます。たとえば、F5ネットワークスのBIG-IPシリーズであれば、BIG-IP DNSのソフトウェアライセンスを追加します。また、クラウドサービス事業者が広域負荷分散サービスを提供しているので、そちらを使用することが多いでしょう。AWSであればRoute 53、AzureであればAzure Traffic Managerが広域負荷分散サービスです。

　広域負荷分散技術は、広域負荷分散装置がDNSサーバー（コンテンツサーバー）となって、広域負荷分散の対象となるドメイン名のIPアドレスを返答します。**広域負荷分散装置は各サイトの状態（サービスの稼働状況やネットワークの使用率など）を監視し、その結果に応じて返答するIPアドレスを変えることによって、負荷分散を実現します。**広域負荷分散技術は負荷分散としての目的よりも、災害が発生したときに、別のサイトでサービスを提供し続ける災害対策の目的で使用することが多くなっています。そこで、ここでは東京サイトと沖縄サイトでWebサーバーを運用する場合を例にとって説明します。通常時、両サイトの広域負荷分散装置は設定を同期したり、お互いの情報をやりとりしたりして、広域負荷分散の対象となるドメインの問い合わせに対して、東京サイトのWebサーバーのIPアドレスを返します。東京サイトが災害などでダウンすると、東京サイトの広域負荷分散装置からの応答がなくなり、沖縄サイトの広域負荷分散装置が沖縄サイトのWebサーバーのIPアドレスを返すようになります。これにより、クライアントは沖縄サイトのWebサーバーにアクセスすることになり、災害時もサービスを提供し続けることができます。

148

イメージでつかもう！

● 地理的に離れたサイトを用意してサービスを継続する

各サイトに配置した**広域負荷分散装置**がDNSサーバーとなって、利用可能なサーバーのIPアドレス情報を返します。

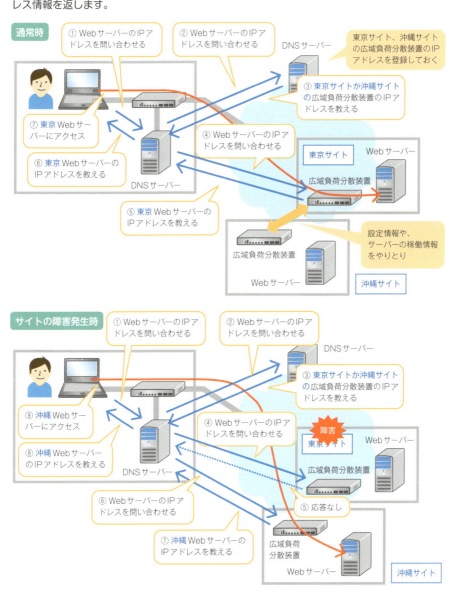

関連用語　DNSサーバー ▶p.84　DNSラウンドロビン ▶p.146　IPアドレス ▶p.38　アプライアンスサーバー ▶p.74
ドメイン名 ▶p.84　負荷分散装置 ▶p.146

COLUMN

計画停電は復電に注意

　オンプレミスに設置しているサーバーが、絶対に避けて通れないイベントが「計画停電」です。システム管理者は入居しているビルの電源工事や全社全棟のメンテナンス日など、いろいろな理由で計画停電対応に追われることになります。「急な停電じゃなくて、あらかじめ時刻が決まってる停電だったら、電源切るだけじゃん」と思っていませんか？（←若いころの私…）　侮るなかれ。一度経験してみるとわかると思いますが、「たかが計画停電、されど計画停電」です。計画停電対応はシステム管理者あげての総力戦です。

　まず、停電時の対応です。停電時は、UPS があるならば、UPS にシャットダウン処理を任せてしまってよいでしょう。突然の停電のときと同じです。

　UPS がないならば、自力でシャットダウン処理を行ってください。なお、シャットダウンする機器の順序には十分に気をつけましょう。順序を間違えてしまうと、復電時にサーバーが起動しなくなる可能性があります。「サーバー」→「ストレージ」→「ネットワーク機器」の順でシャットダウンします。シャットダウン処理が終了したら、すべての機器がシャットダウンしていることを確認し、停電に備えます。

　次に、復電時の処理です。実は計画停電は、停電時よりも復電時のほうがかなり重要です。停電と同様に、UPS があるならば、UPS に起動処理を任せてしまってよいでしょう。UPS がないならば、自力で起動処理をしてください。復電時も起動順序が重要です。順序を間違えると、サーバーが起動しません。復電時は停電時とは逆に「ネットワーク機器」→「ストレージ」→「サーバー」の順序で起動します。常時稼働が基本のサーバーは、一度電源を落としてしまうと、うまく起動してこないケースが稀にあります。そこで、そんなときの保険として、保守ベンダーの立ち合いを依頼したり、保守部材をあらかじめ確保しておいたりなど、事前に準備しておくと安心でしょう。すべての機器が起動したことを確認し、最後にすべてのサービスが問題なく動作していることを確認して、計画停電対応は終了です。

Chapter

7

サーバーの
セキュリティ

インターネットはウイルスや不正アク
セス、改ざんや盗聴など、さまざま
な脅威に満ち溢れた世界です。本章
ではインターネットに蔓延する脅威か
らサーバーを守るために必要な機器
や、その機能について解説します。

> **Chapter 7** セキュリティリスクを正しく認識しよう

01 インターネットに潜む脅威と脆弱性

システムにおけるセキュリティリスクは、「脅威」と「脆弱性」という2つの要素（リスク因子）の関係から成り立っています。

「脅威」とは、システムに損害を与える可能性がある事故の潜在的な原因のことを表しています。 インターネットは世界中のユーザーが公衆網を利用して情報をやりとりするカオスな世界です。コンピューターウイルスや不正アクセス、DoS（Denial of Service、サービス妨害）攻撃、盗聴など、ありとあらゆる脅威に満ち溢れています。

「脆弱性」とは、システムに存在する弱点、欠陥のことを表しています。 ソフトウェアのバグやセキュリティホール、ウイルス対策の不備など、システムは絶えずどこかに何らかの脆弱性を抱えています。脆弱性は、それ自体から特に何が発生するというわけではありません。**システムが抱える脆弱性を脅威が突いたとき、セキュリティリスクとなり、情報漏えいや業務停止など、いろいろな損害につながります。** たとえば、コンピューターウイルスを例にとりましょう。この場合、ウイルス対策ソフトをインストールしていないという「脆弱性」は、それ自体からは特に問題は生じません。コンピューターウイルスという「脅威」がその脆弱性を突いて、はじめてリスクになります。

セキュリティ対策はPDCAで向上を図る

インターネットの脅威は、インターネットを使用するかぎり、絶えず存在し続けるものです。そこで、インターネット上の脅威に対抗できるように、定期的にセキュリティパッチ（修正プログラム）を適用したり、セキュリティ製品で防御したりするなどして、対策を講じていきます。対策を講じるときは、すべてのセキュリティリスクに対応する必要はありません。ある程度のリスクは許容し、影響度が大きそうなものだけをピックアップして対応します。また、セキュリティ対策は、一度実施したら終わりというわけでもありません。セキュリティは悪い人たちとのいたちごっこです。**計画（Plan）→実施（Do）→検査（Check）→見直し（Action）というPDCAサイクルを定期的に実施し、セキュリティレベルのスパイラル的な向上を図ります。**

プラス1 セキュリティリスクの影響度を分析するときには、各システムに対して「資産価値」「脅威」「脆弱性」「セキュリティ要件」を評価し、整理します。

イメージでつかもう！

● 公開サーバーはインターネット上の脅威に対抗する必要がある

インターネットは世界中のユーザーが利用できる公衆網であり、悪事を働く人間も確実に存在しています。

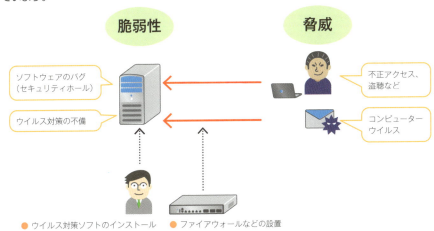

システム管理者は、さまざまな脅威に対抗する必要があります。ただし、すべての脅威に対抗する必要はなく、ある程度のリスクは許容し、影響度の大きなものに対応するようにします。

● 定期的にPDCAサイクルを実施する

セキュリティリスクは日々変化していきます。そのため、対策を一度実施したら終わりというわけではなく、定期的にPDCAサイクルを実施します。

関連用語　更新プログラム ▶p.174　ファイアウォール ▶p.154

Chapter **7** インターネットからの脅威に対抗する

02 ファイアウォールで サーバーを守る

インターネットにサーバーを公開するときに最も考慮しなくてはならないのがセキュリティです。インターネットはいろいろな人たちが混沌として存在している危険な世界です。そんな世界からサーバーを守るため、ネットワークの出入り口に配置する機器が「**ファイアウォール**」です。

ファイアウォールは、IP アドレスとポート番号で通信制御を行う「**ファイアウォール（トラディショナルファイアウォール)**」、いろいろなセキュリティ機能やレポート機能を統合した「**次世代ファイアウォール**」、Web サービスの防御に特化した「**Web アプリケーションファイアウォール（WAF)**」の 3 つに分類できます。どのファイアウォールを選定するかは「どんな機能が必要か」によって決めていきます。たとえば、ユーザーからインターネットに対する通信を可視化したいときは次世代ファイアウォールを選定します。また、Web サービスシステムをアプリケーションレベルで防御したいときは WAF を選定します。

■ セキュリティポリシーを決める

どのファイアウォールを使用するかが決まったら、どんな通信を許可し、どんな通信を拒否するか、「**ファイアウォールルール**」を決めていきます。ファイアウォールルールを決めるには、まず、どこ（どの IP アドレス）から、どこ（どの IP アドレス）に対して、どんな（どのプロトコルのどんなポート番号）通信があるか、通信要件を洗い出します。次にその通信要件をインターネットから LAN に対する通信（インバウンド通信）か、LAN からインターネットに対する通信（アウトバウンド通信）かに分類し、**インバウンド通信は原則拒否、必要最低限許可、アウトバウンド通信は原則許可、必要最低限拒否の方針に基づいて、ファイアウォールルールを決めます。**たとえば、Web サーバーをインターネットに公開する場合、インターネットから Web サーバーに対する HTTP と HTTPS のインバウンドの通信要件があるはずです。それにあわせて、インターネット（すべての IP アドレス）から Web サーバーの IP アドレスに対して、HTTP と HTTPS を許可し、それ以外を拒否します。

プラス1 ファイアウォールは行きパケットの情報を見て、戻りパケットのためのファイアウォールルールを動的に追加します。この機能を「ステートフルインスペクション」といいます。

イメージでつかもう！

● ファイアウォールの働き

インターネットに公開するサーバーや、インターネットに接続するユーザーは、**ファイアウォール**という機器で守ります。ファイアウォールはIPアドレスやポート番号などの情報をもとに、通信を許可したり、拒否したりすることができます。

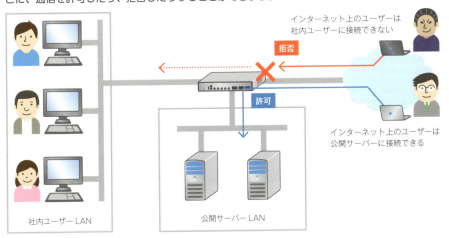

● ファイアウォールを用意する手順

1 ファイアウォールの種類を決める

どんな通信をどこまで防御したいかによって、選定すべきファイアウォールを決めます。ファイアウォールの種類については、次節以降で解説します。

2 セキュリティポリシーを決める

通信要件を洗い出した後、ファイアウォールに適用すべきセキュリティポリシーを、インバウンド通信は原則拒否、アウトバウンド通信は原則許可の方針に基づいて決めていきます。

通信要件

送信元（どこから）	あて先（どこに対して）	プロトコル（どんな通信がある）
インターネット	Webサーバー #1	HTTP（TCPの80番）、HTTPS（TCPの443番）
インターネット	Webサーバー #2	HTTP（TCPの80番）、HTTPS（TCPの443番）

ファイアウォールルール

送信元IPアドレス	あて先IPアドレス	プロトコル	送信元ポート番号	あて先ポート番号	制御
すべてのIPアドレス	Webサーバー #1	TCP	すべてのポート番号	80、443	許可
すべてのIPアドレス	Webサーバー #2	TCP	すべてのポート番号	80、443	許可
すべてのIPアドレス	すべてのIPアドレス	すべてのプロトコル	すべてのポート番号	すべてのポート番号	拒否

関連用語　HTTP ▶ p.116　HTTPS ▶ p.118　IPアドレス ▶ p.38　Webアプリケーションファイアウォール ▶ p.164
次世代ファイアウォール ▶ p.162　ポート番号 ▶ p.46

Chapter 7 求める機能、コスト、運用管理能力から考える

03 ファイアウォールの選び方

前項で説明したとおり、現在のファイアウォールは3種類に分類することができます。IPアドレスとポート番号で通信制御を行う「トラディショナルファイアウォール」、あらゆるセキュリティ機能やレポート機能を統合した「次世代ファイアウォール」、Webサービスの防御に特化した「Webアプリケーションファイアウォール（WAF）」の3つです。ここでは、どういうときにどのファイアウォールを選定すべきかについて、もう少し踏み込んで説明します。

■ 3種類のファイアウォール

必要最低限のセキュリティレベルでよければ、トラディショナルファイアウォールでよいでしょう。 IPアドレスとポート番号で通信制御するだけなので、単純なサイバー攻撃にしか対応できませんが、安価に、かつお手軽に導入することができます。最近は、家庭用のWi-Fiルーターでもこの機能を持っていて、一般化した感があります。

セキュリティに関する管理をシンプルにしたいのであれば、次世代ファイアウォールです。 次世代ファイアウォールは、トラディショナルファイアウォールの進化版です。トラディショナルファイアウォールで行うことができるIPアドレスとポート番号での通信制御に加えて、IDS（不正侵入検知システム）/IPS（不正侵入防御システム）やVPN、アンチウイルス機能など、ありとあらゆるセキュリティ機能を詰め込み、統合化を図っています。また、IPアドレスやポート番号だけでなく、いろいろな情報をアプリケーションレベルで解析することによって、トラディショナルファイアウォールより高次元のセキュリティ、高次元の運用管理性を実現しています。

インターネットに公開しているWebサービスをアプリケーションレベルで守りたければWebアプリケーションファイアウォール（WAF）です。 WAFはWebサービスの脆弱性を狙う攻撃を検知し、ブロックします。サイバー攻撃はアプリケーションレベルの攻撃になればなるほど、複雑化・巧妙化します。WAFは、WebブラウザとWebサーバー間のやりとりすべてを監視することによって、アプリケーションレベルの制御を行います。

プラス1 以前はファイアウォールといえばトラディショナルファイアウォールという感じでしたが、今は次世代ファイアウォールが主流です。

156

イメージでつかもう！

● ファイアウォールの種類

ファイアウォール製品は、3種類に分類できます。

種類	説明	どんなときに選ぶか
トラディショナルファイアウォール	IPアドレスとポート番号で通信制御を行う	単純なサイバー攻撃を防御できればよいとき
次世代ファイアウォール	いろいろなセキュリティ機能を統合して行う	セキュリティに関する管理を楽にしたいとき
Webアプリケーションファイアウォール	Webサービスに関してアプリケーションレベルの通信制御を行う	インターネットに公開しているWebサービスをサイバー攻撃から防御したいとき

トラディショナルファイアウォール

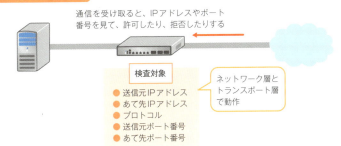

次世代ファイアウォール

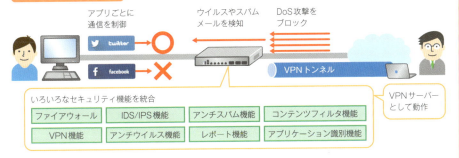

Webアプリケーションファイアウォール

関連用語　IDS/IPS ▶ p.160　IPアドレス ▶ p.38　Webアプリケーションファイアウォール ▶ p.164
　　　　次世代ファイアウォール ▶ p.162　ポート番号 ▶ p.46

Chapter 7 外部に公開するかしないかで配置場所が変わる

04 セキュリティゾーンと サーバーの配置

同じセキュリティレベルを持っているネットワークの集まりのことを、「**セキュリ ティゾーン**」といいます。一般的なシステムはファイアウォールを中心として、 「**Untrust ゾーン**」「**DMZ**」「**Trust ゾーン**」という 3 つのセキュリティゾーンで構 成されています。

■ 3 つのセキュリティゾーン

Untrust ゾーンはファイアウォールの外側に配置する、システムにとって信頼で きないゾーンです。セキュリティレベルが最も低く、いろいろなサーバーを配置する には適しませんし、配置してはいけません。インターネットに接続している環境であ れば、Untrust ゾーンとは、つまりインターネットのことです。ファイアウォールは、 Untrust ゾーンからの脅威に備えることになります。なお、クラウドサービス上の サーバーは一見 Untrust ゾーンにあるように見えますが、クラウドサービスの中で Trust ゾーンに位置しており、セキュリティレベルは比較的高く保たれています。

DMZ は、Untrust ゾーンと Trust ゾーンの緩衝材の役割を果たすゾーンです。 セキュリティレベルは、Untrust ゾーンより高く、Trust ゾーンより低い、ちょう ど中間に位置します。DMZ には、Web サーバーや DNS サーバー、プロキシサーバー など、Untrust ゾーン（インターネット）と直接的にやりとりする公開サーバーを 配置します。公開サーバーは、不特定多数のクライアントがアクセスしてくる、セキュ リティ的に最も危険なサーバーです。インターネットからのサイバー攻撃に耐えられ るように、他のゾーンからの通信を最小限に制限しておきます。

Trust ゾーンはファイアウォールの内側に配置する、システムにとって信頼でき るゾーンです。セキュリティレベルが最も高く、絶対に死守しなければなりません。 Trust ゾーンには、ドメインコントローラーやファイルサーバーなど、インターネッ トに公開しない社内サーバーや社内ユーザーを配置します。Trust ゾーンは、他ゾー ンからの通信を基本拒否、他ゾーンへの通信を基本許可します。なお、VPN などで 接続されている他拠点も Trust ゾーンに含まれます。同じく高いセキュリティレベ ルを保ちます。

プラス 1 このように、ファイアウォールを中心として、セキュリティレベルの異なるセキュリティゾーンに分 けて防御することを「境界型防御」といいます。

イメージでつかもう！

● ファイアウォールを中心とした3つのセキュリティゾーン

一般的なシステムは、ファイアウォールを中心に3つのセキュリティゾーンに分けられます。外部に公開するサーバーはDMZに、公開しないサーバーはTrustゾーンに配置します。

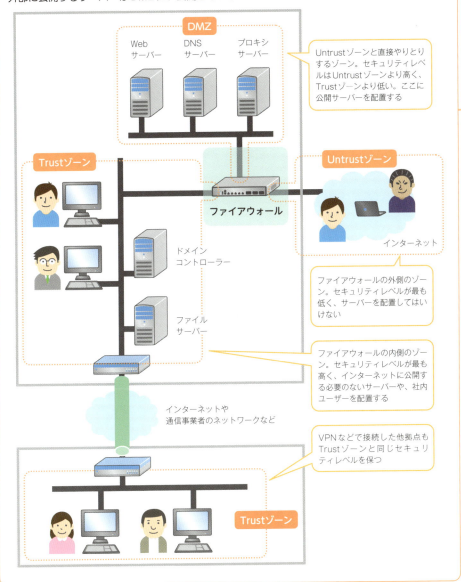

7 サーバーのセキュリティ

関連用語　DNSサーバー ▶p.84　VPN ▶p.132　Webサーバー ▶p.114　ドメインコントローラー ▶p.88
　　　　　ファイアウォール ▶p.154　ファイルサーバー ▶p.92　プロキシサーバー ▶p.98

| Chapter 7 | サーバーへの不正な侵入を検知したり防御したりする |

05 IDSとIPS

「IDS(Intrusion Detection System、侵入検知システム)」と「IPS(Intrusion Prevention System、侵入防止システム)」は、通信のふるまい（挙動）を見て、サーバーに対する DoS(サービス妨害) 攻撃や不正アクセスを検知したり、防御したりする機器（機能）です。以前は IDS/IPS を機器として別に導入することが多かったのですが、最近は次世代ファイアウォールの中の機能の1つとして含まれていて、機器単体で導入することは少なくなりました。

IDS で侵入を検知

IDS は、通信のふるまいから侵入を検知する機能です。IDS は怪しい通信のふるまいや攻撃パターンを「シグネチャ」という形で保持しています。シグネチャは、ウイルス対策ソフトでいうパターンファイルのようなものです。シグネチャは、指定した時刻に自動で更新されるか、あるいは手動で更新されます。IDS はサーバーに対する通信を受け取ると、シグネチャと照合し、不正通信として認識すると、管理者にアラートを上げます。アラートを受け取った管理者は、サーバーのアクセスログを見たり、ファイアウォールルールを変更したりして対応します。

IPS で侵入を防御

IPS は、通信のふるまいから攻撃や不正侵入を防御する機能です。IPS は IDS のパワーアップバージョンで、サーバーに対する不正通信をシグネチャで検知すると、即座に遮断します。これにより、IDS で発生していた管理者の手間を省くことができます。最近は、攻撃手法や侵入手法がかなり複雑化・巧妙化していて、不正通信かそうでないかを機械的に判断するのが難しくなっています。そこで、**とりあえずIDS で検知だけ行い、サーバーの状態を確認してから、IPS で遮断することが多いでしょう**。また、IDS/IPS は運用管理がポイントです。導入しただけで満足するのではなく、その後も環境にあわせて、設定をしっかりカスタマイズしていくことが重要です。

| プラス 1 | IDS と IPS には、ネットワーク機器で監視する「ネットワーク型」、サーバーで監視する「ホスト型」、クラウドサービスで監視する「クラウド型」があります。 |

イメージでつかもう！

● IDS（Intrusion Detection System、侵入検知システム）

IDSは、ネットワークを流れる怪しい通信を検知して、ログサーバーのログファイルにログ（記録）を残したり、管理者に通知したりします。検知するだけで、通信を遮断はしません。

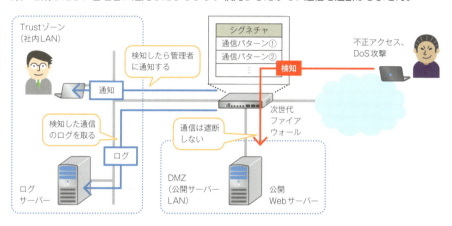

● IPS（Intrusion Prevention System、侵入防止システム）

IPSは、ネットワークを流れる怪しい通信を検知して、ログサーバーのログファイルにログ（記録）を残したり、管理者に通知したりします。また、通信を遮断し、侵入を防止します。

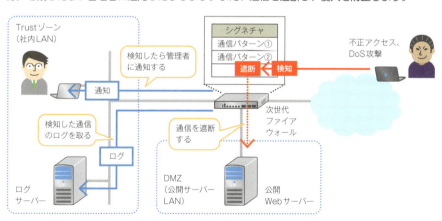

最近は、攻撃手法や侵入手法が複雑化・巧妙化していて、不正な通信かどうかを判断しづらくなっています。そこで、とりあえずIDSで検知だけ行い、状態を確認してからIPSで遮断することが多いでしょう。

関連用語　Syslogサーバー ▶p.186　次世代ファイアウォール ▶p.162

Chapter **7** セキュリティ機能を高め、管理者に役立つ機能も提供

06 次世代ファイアウォール

次世代ファイアウォールは、セキュリティに関するいろいろな機能をひとまとめにしたファイアウォールです。具体的には、サーバーに対する不正侵入を検知・防御する「IDS/IPS 機能」、ウイルスチェックを行う「アンチウイルス機能」、通信しているアプリケーションを識別する「アプリケーション識別機能」、拠点間およびリモート VPN 接続を行う「VPN 機能」などを統合しています。次世代ファイアウォールは、これまで別々の機器で行っていたセキュリティ機能を 1 台の機器でまかなうことができ、機器コストを大幅に削減できたり、セキュリティに関する運用管理を楽にしたりすることができます。次世代ファイアウォールの有名どころといえば、パロアルトネットワークスの PA シリーズやフォーティネットの FortiGate^{フォーティゲート} シリーズです。

■ セキュリティポリシーを決める

次世代ファイアウォールにおいて、特に重要な機能が「**アプリケーション識別機能**」と「**レポート機能**」です。

アプリケーション識別機能は、IP アドレスやポート番号だけでなく、複数の要素からアプリケーションを識別する機能です。HTTPS を例に説明しましょう。HTTPS は今やサイト閲覧だけでなく、ファイルの送受信やメッセージ交換など、その上でいろいろな動作を実現しています。そこで、TCP の 443 番を単に HTTPS とひとまとめにするのではなく、URL やコンテンツ情報、拡張子など、いろいろな情報を見て、さらに細かく分類します。たとえば、これまでのファイアウォールでは、HTTPS を許可すると、YouTube も見えるし、Twitter も見えるといったような感じでした。アプリケーション識別機能を利用すると、YouTube は許可、Twitter は拒否、のように柔軟な制御を行うことができます。

レポート機能は、アプリケーション識別機能によって識別した情報をグラフや表にして整理し、管理者に見やすく、わかりやすくしてくれる機能です。どの人がどんなアプリケーションをどれだけ使用しているのか。これは管理者にとって、とても重要な問題です。これまでのファイアウォールは、その情報を整理するために別途サーバーを用意し、自分で整理する必要がありました。レポート機能を利用すると、その手間を省略でき、楽することができます。

162

イメージでつかもう！

● 次世代ファイアウォールとは

次世代ファイアウォールは、セキュリティに関するいろいろな機能を統合した製品です。

セキュリティ機能	説明
ファイアウォール機能	IPアドレスとポート番号に基づいて、通信を制御する
IDS/IPS機能	通信のふるまいを見て、侵入や攻撃を検知、あるいは防御する
アンチスパム機能	迷惑メールを検知し、必要に応じて防御する
コンテンツフィルタ機能	閲覧できるWebサイトを限定する
VPN機能	VPNサーバーとなり、リモートアクセスVPNを受け付ける。また、拠点間VPNで接続する
アンチウイルス機能	ウイルスを検知し、防御する
レポート機能	誰がどんな通信をしているのかレポートにして、通信を見える化する
アプリケーション識別機能	複数の要素からアプリケーションを識別して、通信を制御する

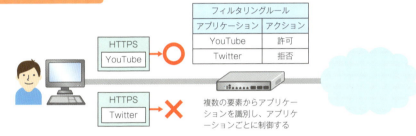

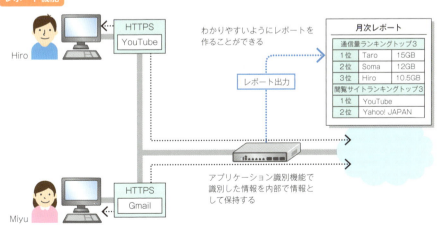

関連用語　HTTPS ▶p.118　SNMP ▶p.188　TCP ▶p.46　URL ▶p.116

サーバーのセキュリティ 7

Chapter **7**　Web サービスを狙ったさまざまな攻撃を防御する

07 Webアプリケーションファイアウォール

Web サービスの防御に特化したファイアウォールが、「Web アプリケーションファイアウォール（WAF）」です。ファイアウォールと IDS/IPS の守備範囲は、ネットワーク層（IP アドレス）からトランスポート層（ポート番号）までです。そのため、たとえファイアウォールで HTTP/HTTPS だけを許可して攻撃に備えても、Web サービスの脆弱性をピンポイントで攻撃されてしまったら、ひとたまりもありません。**WAF は、ポート番号だけでなく、HTTP でやりとりされるデータすべてをアプリケーションレベルで監視し、通信制御を行います**。WAF には、サーバーのソフトウェアとして導入するホスト型、クラウドの SaaS として提供される SaaS 型、アプライアンスサーバーを導入するアプライアンスサーバー型の 3 種類があります。

　Web サービスに対する攻撃手法として代表的なものが、データベースサーバーとの連携に使用する SQL 文を利用して攻撃を仕掛ける「**SQL インジェクション**」、Web ブラウザの表示処理を利用して攻撃を仕掛ける「**クロスサイトスクリプティング（XSS）**」、偽の Web サイトから意図しない HTTP リクエストを投げつける「**クロスサイトリクエストフォージェリ（CSRF）**」です。どの攻撃手法も重要な情報を抜き出したり、他人の情報を改ざんできたりと、いろいろなことができるようになってしまい、大きな経済的損失、顧客の信用失墜につながります。

　WAF はこのような攻撃手法に対抗するために、いろいろな攻撃手法のテンプレートを「**シグネチャ**」として保持しています。WAF は Web サービスの入り口にある Web サーバーに対する HTTP リクエストに含まれるデータ（HTTP ヘッダーや HTML データ）すべてを、シグネチャと突き合わせてチェックします。そして、シグネチャにヒットしたら、ログに出力したり、あるいは通信をブロックしたりします。シグネチャは、指定した時刻に自動で更新されるか、あるいは手動で更新されます。WAF を導入するときには、必要な通信をブロック（誤検知）してしまわないように、**はじめは通信をブロックせずに透過させて、WAF にどんな通信が流れるかを確認します。一定期間確認したら、その情報をもとに、許可すべき通信か、拒否すべき通信かを判断します**。また、その後も流れている通信を確認し続け、定期的かつ継続的に設定をチューニングしていきます。

164　プラス1　HTTPS の Web サービスの場合は、WAF で SSL/TLS を復号したうえで、検査を実行し、Web サーバーに渡します。

● Webアプリケーションファイアウォールの動き

Web アプリケーションファイアウォールは、やりとりされるHTTPの中身までチェックして、Webサービスへの攻撃を検出します。

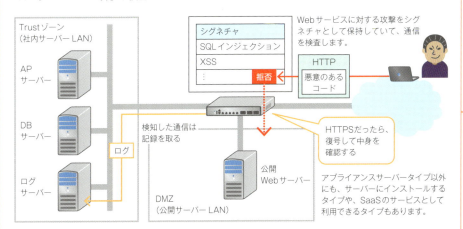

● Webサービスに対する代表的な攻撃手法

攻撃名	説明
SQLインジェクション	Webサービスからデータベースに接続する部分の不備を突く攻撃。データベースを改ざんしたり、不正にデータを入手したりする
クロスサイトスクリプティング (XSS)	Webブラウザの不備を突いて、攻撃者が生成したHTMLタグやJavaScriptを一般ユーザーのブラウザ上で表示・実行する攻撃。ブラウザに偽のクレジットカード番号入力画面を表示したり、一般ユーザーとサーバーの間の接続を乗っ取ったりと、さまざまな攻撃を行うことができる
クロスサイトリクエストフォージェリ (CSRF)	あるサイトにログイン中のユーザーに罠ページを表示させ、攻撃者が用意したWebサービスに対するリクエストをユーザーに実行させる攻撃。SNSへの意図しない書き込みや、ショッピングサイトでの買い物をさせられたりする

● WAFを導入するまでの流れ

WAFを導入するときは、必要な通信をブロック（誤検知）してしまわないように、しっかりとしたステップを踏みます。

Step1
- サーバー環境やアプリケーション環境を精査する
- セキュリティ方針を策定する
- 暫定的な設定値を策定する

Step2
- Step1で策定した暫定的な設定値を適用する
- 一定期間、検査したログをログサーバーに出力し続ける

Step3
- 検査したログをチェックする
- 許可すべき通信か、拒否すべき通信かを判断し、本番で適用する設定値を策定する

Step4
- 本番の設定値を適用する
- 定期的、かつ継続的にStep1から再実施する

関連用語　HTTP ▶p.116　IDS/IPS ▶p.160　SaaS ▶p.58　SQL ▶p.126　アプライアンスサーバー ▶p.74
　　　　　トランスポート層 ▶p.32　ネットワーク層 ▶p.32

Chapter 7 メールの中身にまで踏み込んだ制御が可能

08 メールのセキュリティ対策

迷惑メール対策やウイルスメール対策など、メールのセキュリティ機能に特化したシステム全般を「**メールセキュリティシステム**」といいます。ファイアウォールやIDS/IPSの守備範囲はネットワーク層（IPアドレス）からトランスポート層（ポート番号）までです。そのため、ファイアウォールでメール（SMTP）だけを許可したとしても、迷惑メールを拒否することはできませんし、添付ファイルに含まれるウイルスを検知することもできません。**メールセキュリティシステムは、メールでやりとりされるデータをアプリケーションレベルで監視し、通信防御を行います。**

■ 3タイプのメールセキュリティシステム

メールセキュリティシステムには、アプライアンスサーバーを導入する「**アプライアンスサーバー型**」、サーバーにソフトウェアをインストールする「**ホスト型**」、クラウド上のサービスとして提供される「**クラウド型**」があります。これらの違いは、どこで対策処理（検査）を実施しているか。これだけです。アプライアンスサーバー型とホスト型はDMZで検査を実施します。クラウド型はクラウド上に用意されたサービスで検査を実施します。基本的な動作にそれほど大きな違いはありません。

■ メールセキュリティシステムの基本動作

メールセキュリティシステムの基本的な動作は、以下のとおりです。

① インターネットから送られてきたメールをいったんメールセキュリティシステムが受け取ります。
② メールセキュリティシステムは受け取ったメールに対して、送信元IPアドレスチェックやウイルスチェックなど、各種検査を行います。
③ 検査に合格したメールを社内メールサーバーに転送します。また、不合格だったメールは隔離するか、削除します。隔離した場合は、あて先メールアドレスのユーザーに対して、隔離した旨を通知するメールを送信します。

プラス1　クラウド型のメールセキュリティシステムを使用すると、不要な迷惑メールを社内で受け取る必要がなくなり、有限なインターネット回線の帯域を節約することができます。

イメージでつかもう！

● メールのデータまで監視して、迷惑メールや添付ファイルのウイルスを検出

ファイアウォールは、SMTPパケットを通すか通さないかは制御できますが、メールの中身まではチェックできません。そのため、迷惑メールを拒否したり、メールに添付されたウイルスを検知したりすることはできません。

そこで、メールのセキュリティ機能に特化した**メールセキュリティシステム**を使用します。メールサーバーに渡す前に、メールセキュリティシステムを通す形となります。

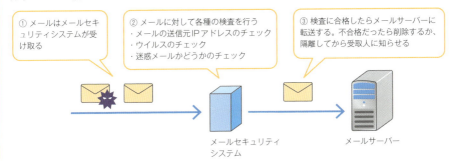

メールセキュリティシステムには3タイプあります。メールを検査する場所が違いますが、基本的な動作には大きな違いはありません。

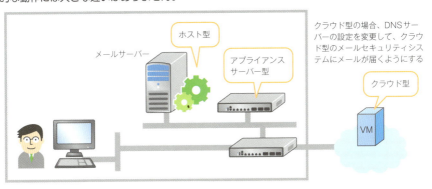

関連用語　DMZ ▶p.158　IDS/IPS ▶p.160　IPアドレス ▶p.38　SMTPサーバー ▶p.100
アプライアンスサーバー ▶p.74　クラウドサービス ▶p.58　ファイアウォール ▶p.154

7 サーバーのセキュリティ

167

COLUMN

誰も信じない…
ゼロトラストという新潮流

　p.158で説明したとおり、ファイアウォールで社内（Trustゾーン）にあるユーザーやサーバーを守る境界型防御は、セキュリティモデルの基本として、長期間にわたって一定の効果を上げていました。しかし、昨今、クラウドサービスの利用が増加したことや、リモートワークにより働く環境が多様化したことなどによって、守るべき情報資産（データや端末など）が社内だけではなくなった結果、境界があいまいになり、境界型防御は限界を迎えつつあります。そんな中、新たに注目を浴びるようになったセキュリティモデルが「ゼロトラストセキュリティ」です。

　ゼロトラストセキュリティは、その名のとおり、トラスト（信頼）できるところがゼロ（ない）という観点に立って、性悪説的にセキュリティを考えていくモデルです。「社内はファイアウォールで守られているから、みんな安心安全」という境界型防御の性善説的な考え方を捨て、社外ネットワークに対する通信や、社内ネットワークにおける通信など、すべてのユーザーがすべての端末で行うすべての通信を認証し、安全と認められた場合にだけ通信を許可します。また、「いつ、誰が、どこで、何をしたか」というアクセス状況をリアルタイムに記録、都度分析し、セキュリティの改善へと役立てていきます。

　ゼロトラストセキュリティの概念を導入すると、場所を問わず、必要なユーザー、必要な端末の必要な通信だけが許可されるようになるため、セキュリティレベルが向上します。また、従来の境界型防御で防御することができなかった社内ネットワークの脅威（不正アクセスやデータ流出など）にも対応できるようになります。しかし、その一方で、ゼロトラストセキュリティのために、ユーザーID／パスワードとそのアクセス管理を行うIAM(Identity and Access Management)や端末の挙動を監視するEDR(Endpoint Detection and Response)など、いろいろなセキュリティ製品を導入しないといけないため、コストがかさむ傾向にあります。

Chapter

8

サーバーの運用管理

システムの一生の中で最も長い
フェーズが運用管理フェーズです。本
章では、サーバーがクライアントに対
して継続的かつ安定的にサービスを
提供するために必要な作業や、代表
的なサーバーについて解説します。

Chapter **8**　管理者はどんなことを行えばよいのか

01 サーバーの運用管理で行う作業

　1-06 節「サーバーの運用管理」でも述べたとおり、システムはサービスインととともに運用管理フェーズに入ります。システム管理者はいつどんなときでも、安定的に、かつ定常的にサービスを提供できるように、設定を変更したり、障害に対応したり、さまざまな作業を行います。ここでは運用管理フェーズにおいて、システム管理者がどんな作業を行っているのか、「**設定変更**」と「**障害対応**」に分けてそれぞれ説明します。

■ 設定変更

　ユーザーやシステムの要求に応じて行う作業が設定変更です。運用管理フェーズにおいて、継続的に発生します。設定変更には主に、以下のような作業があります。
① ユーザーアカウントの追加、削除、変更
② OS やアプリケーションの更新プログラムの検証、および適用
③ OS やアプリケーションの設定調整（チューニング）

■ 障害対応

　障害対応には大きく分けて「**事前対応**」と「**事後対応**」があります。**障害を予防、あるいは障害発生後のために前もって行う作業が事前対応です**。設定変更と同じく継続的に発生します。事前作業には主に、以下のような作業があります。
① SNMP サーバーによる定期的な性能監視、状態監視、障害監視
② Syslog サーバーによるエラーログ（記録）監視
③ バックアップデータの取得

　障害が発生した後に行う復旧作業が事後対応です。運用管理フェーズにおいて、突発的に発生します。事後対応には主に、以下のような作業があります。
① SNMP サーバーや Syslog サーバーのログ解析、およびそれに応じた対応
② バックアップデータからのリストア（復元）

プラス 1 ▶ 管理者の作業で意外と侮れないのがサーバールームの掃除です。サーバーにとってホコリは最大の敵です。ホコリがたまると、ファンが回らなくなり、熱暴走につながります。

イメージでつかもう！

●安定的にサービスを提供するためにはさまざまな作業が必要

運用管理フェーズに入ったサーバーが安定的・定常的にサービスを提供できるようにすることが、システム管理者の役目です。
管理者の作業は、主に「設定変更」と「障害対応」の2つです。

具体的な作業項目には、次のようなものがあります。

作業分類		作業項目	関連する節
設定変更		ユーザーアカウントの追加、削除、変更	－
		OSやアプリケーションの更新プログラムの検証、および適用	8-03　8-04
		OSやアプリケーションの設定調整	－
障害対応	事前対応	SNMPサーバーによる定期的な性能監視、状態監視、障害監視	8-10
		Syslogサーバーによるエラーログ監視	8-09
		バックアップデータの取得	8-05
	事後対応	SNMPサーバーやSyslogサーバーのログ解析、およびそれに応じた対応	8-09　8-10
		バックアップデータからのリストア	8-05

運用管理のためのサービスを提供するサーバーもいくつかあります。本章では、それぞれについて、具体的に説明していきます。

関連用語　NTPサーバー ▶ p.184　SNMPサーバー ▶ p.188　Syslogサーバー ▶ p.186　WSUSサーバー ▶ p.176
バックアップ ▶ p.178

Chapter **8** オンプレミスもクラウドもほとんど同じ

02 サーバーのリモート管理

サーバーをひとたび設置してしまうと、障害対応や定期点検のときなど、よほどのことがないかぎり、その前に立って作業することはなくなります。通常時はオフィスの自席にあるパソコンから LAN 経由で操作したり、場合によっては、自宅のパソコンから VPN 経由で操作したりすることになります。

■ OS によってリモート管理の方法が異なる

Linux サーバーをリモートから操作する場合は「**SSH(Secure SHell)**」というプロトコルを使用します。SSH は公開鍵暗号化方式と共通鍵暗号化方式を組み合わせて、通信を暗号化しています。SSH でサーバーにアクセスするときには Windows パソコンだったら「Tera Term」や「PuTTY」、Linux パソコンや Mac だったら「Terminal」というソフトウェアを使用します。SSH でサーバーにアクセスすると、最初にユーザー名とパスワードを要求されます。ユーザー認証に成功すると、CLI の画面が表示され、サーバーを遠隔操作できるようになります。

Windows サーバーをリモートから操作する場合は、「**リモートデスクトップ**」を使用します。リモートデスクトップは SSL/TLS や独自方式で通信を暗号化しています。リモートデスクトップでサーバーにアクセスするときには、マイクロソフトから提供されているリモートデスクトップクライアントソフトウェアを使用します。リモートデスクトップでサーバーにアクセスすると、最初にユーザー名とパスワードを要求されます。ユーザー認証に成功すると、GUI の画面が表示され、サーバーを遠隔操作できるようになります。

■ クラウドサービスへの接続も同じ

クラウドサービス上のサーバーをリモートから操作する場合も同じです。対象となるサーバーのグローバル IP アドレス、あるいはドメイン名(FQDN)がクラウドサービスより提示されます。それに対して、Linux サーバーであれば SSH で、Windows サーバーであればリモートデスクトップでアクセスします。

プラス 1　リモートデスクトップは「RDP（Remote Desktop Protocol）」というプロトコルを使用して通信を行います。RDP のポート番号は TCP の 3389 番です。

172

イメージでつかもう！

● 通常時は、サーバーは自席のパソコンからリモート管理を行う

自席のパソコンからLAN経由で、場合によっては社外からVPN経由で、サーバーに接続して操作を行います。クラウドサービス上のサーバーも、まったく同様です。

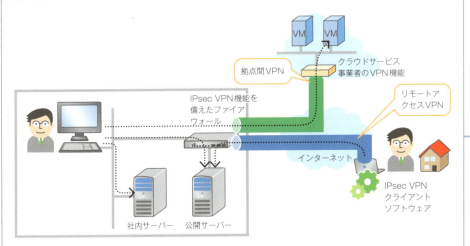

LinuxサーバーにはSSH、Windowsサーバーにはリモートデスクトップで接続するのが一般的です。

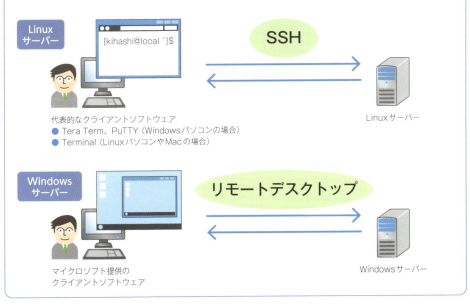

Chapter 8 サーバー OS の更新は慎重に行う

03 更新プログラムの インストール

システムを運用していく中で、定期的に発生する作業が更新プログラムのインストールです。どんなソフトウェアも人が作ったものです。必ずどこかにバグが存在します。システム管理者は定期的に更新プログラムをインストールすることによって、バグに対応していきます。更新プログラムをインストールするときに考慮しなければならないのが、「アプリケーションの動作」と「再起動の影響」です。

■ アプリケーションの動作

せっかく更新プログラムをインストールして、OS を修正したとしても、その上で動作するアプリケーションが動作しなくなったら元も子もありません。更新プログラムをインストールするときは、**検証サーバーでアプリケーションの動作を確認し、本番環境に適用する手順を踏みます**。検証環境がない場合は失敗したときに、バックアップからリストア（復元）しないといけなくなるので、それ相応のリスクがあることを認識しておきましょう。サーバー OS にもクライアント OS と同じ自動更新機能がありますが、**サーバー OS は手動更新が基本です**。更新プログラムをダウンロードしておいて、インストールはシステムに影響の少ない時刻に後回しにしたり、ダウンロードもインストールも後回しにしたり、要件に応じた手動更新パターンを選択します。

■ 再起動の影響

更新プログラムがインストールされると、多くの場合、その後に再起動を迫られることになります。この動作は、ユーザーが使用する Windows パソコンであれば特に問題になりません。しかし、これがサーバーとなると話は別です。当然ながら、サーバーを再起動している間はサービスを提供できません。そこで、**あらかじめ停止時間を測定しておき、ユーザーに影響のない時間帯を選んで、再起動を実行するようにしましょう**。また、再起動する場合は、あらかじめ社内のコミュニケーションツールを利用して、サービスの停止を通知しておきましょう。

174　プラス1　OS 上で動作しているアプリケーションにバグや脆弱性が見つかった場合も、同様の手順を踏んで、更新プログラムをインストールします。

イメージでつかもう！

● 更新プログラムを適用する手順

1 検証サーバーにインストールして、アプリケーションの動作を確認する

本番環境で稼働しているサーバーにいきなりインストールするのではなく、更新プログラムによって不具合が出ないかどうか、先に検証環境のサーバーで動作確認をするのが安全です。サーバーの再起動にかかる時間も測定しておきます。

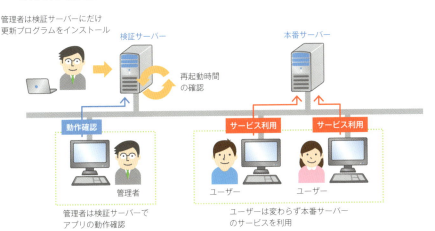

2 ユーザーに影響が少ない時間帯を見計らって、本番サーバーにインストールする

更新プログラムをインストールして再起動している間は、サービスを提供できません。ユーザーに影響が出ない時間帯に更新作業を実施するようにします。また、事前に社内のコミュニケーションツールでサービス停止を案内しておきます。

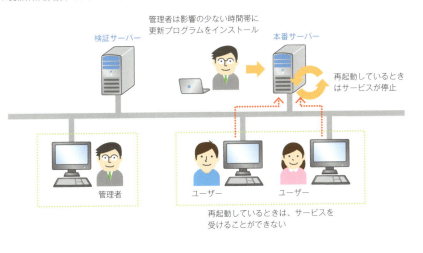

関連用語　WSUS サーバー ▶ p.176　脆弱性 ▶ p.152

| Chapter 8 | Windows Update サーバーの代わりを社内に用意する |

04 更新プログラムの配信管理

社内における Windows OS の更新プログラムの配信を管理するサーバーが、Windows Server に同梱されている「**Windows Server Update Services サーバー（WSUS サーバー）**」です。インターネット上にある Windows Update サーバーの社内バージョンと考えるとイメージしやすいかもしれません。WSUS サーバーを使用すると、マイクロソフトのサイトからダウンロードした更新プログラムを、任意のタイミングで社内の Windows パソコンに配信でき、煩雑になりがちなバージョン管理をシンプルにすることができます。

WSUS サーバーによる更新プログラムのインストール

WSUS サーバーは、指定されたスケジュール、あるいは任意のタイミングで、マイクロソフトの Windows Update サーバーから更新プログラムをダウンロードします。管理者はダウンロードした更新プログラムの中から、配信するプログラムと、配信するコンピューターを指定します。ユーザーが使用している Windows パソコンはグループポリシー、あるいはレジストリで設定してあるスケジュールに基づいて、WSUS サーバーにアクセスし、更新プログラムのダウンロードを行います。

WSUS サーバーを導入するメリット

Windows Update は、インターネット上にあるマイクロソフトのサイトから更新プログラムをダウンロードします。したがって、パソコンの数が多ければ多いほど、インターネット回線帯域を圧迫します。**WSUS サーバーを導入すると、更新プログラムのダウンロードが一度で済み、有限なインターネット回線帯域を節約できます。**

また、WSUS サーバーは「コンピューターグループ」という単位ごとに、配信する更新プログラムを指定できます。最初に検証サーバーのコンピューターグループに更新プログラムをインストールし、アプリケーションの動作を検証した後に、ユーザーパソコンのコンピューターグループにインストールするという手順を踏むことができ、**更新プログラムによるアプリケーションの不具合を回避できるようになります。**また、使用する Windows OS のバージョンやビルドを統一することによって、セキュリティレベルの均一化を図ることができます。

イメージでつかもう！

● WSUSサーバーを使って、社内に更新プログラムを効率的に配信

WSUSサーバーは、マイクロソフト製品の更新プログラムの配信を管理するサーバーです。

WSUSサーバーがない場合

社内のユーザーやサーバーが、一気にマイクロソフトのサーバーにアクセスしてしまい、インターネット回線帯域が圧迫されてしまいます。また、いろいろなバージョン・ビルドのWindowsが混在してしまい、セキュリティレベルに差が出ます。

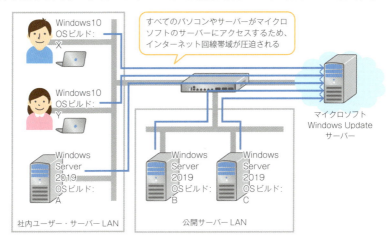

WSUSサーバーがある場合

WSUSサーバーが一度更新プログラムファイルをインターネットからダウンロードするだけなので、インターネット回線帯域は圧迫されません。承認したバージョン・ビルドのWindowsに統一され、セキュリティレベルの均一化が図れます。

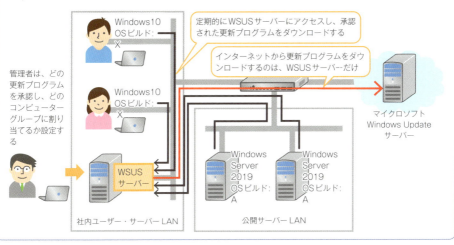

関連用語　Active Directory ドメインサービス ▶ p.90　グループポリシー ▶ p.90　検証サーバー ▶ p.174

Chapter 8 サーバーのデータの消失に備える

05 バックアップとリストア

　障害時に備えて、データのコピーを取る処理を「**バックアップ**」、そのデータ（バックアップデータ）から書き戻す作業を「**リストア**」といいます。

　サーバーを運用していて、管理者が最も恐れる障害が「データの消失」です。サーバーには重要なデータがたくさん保存されており、その影響は計り知れません。**データを消失したときの最終手段が、バックアップデータからのリストアです**。バックアップおよびリストアは、バックアップソフトを使用して行います。代表的なバックアップソフトとしては、ベリタスの「Backup Exec」、Arcserve の「Arcserve Backup」、Windows Server に標準で付属されている「Windows Server バックアップ」があります。

■ いつどこに何をバックアップするか

　バックアップ実施時刻は、夜間や明け方が多いでしょう。バックアップは、サーバーに対する負荷が大きい処理です。**クライアントがアクセスしてこない時間帯を見計らって実行します**。バックアップ先は、同一筐体内の内蔵ハードディスクや NAS、クラウドサービスやテープ装置など、いろいろな選択肢があります。コストやバックアップ速度、データ容量、管理負荷など、いろいろな要素をもとに決定します。バックアップ対象は、ファイルやフォルダー単位、ディスクや仮想マシン単位で指定可能です。ただやみくもにバックアップするのではなく、データの重要度に応じて、バックアップ対象を選択します。

■ どのようにバックアップするか

　バックアップ方式には、すべてのデータをバックアップする「**フルバックアップ**」、フルバックアップとの差をバックアップする「**差分バックアップ**」、前回のバックアップから増えた分のデータだけをバックアップする「**増分バックアップ**」があります。実環境でサーバーをバックアップするときは、週次でフルバックアップ、日次で差分バックアップというように、2 種類のバックアップ方式を組み合わせて使用します。

プラス 1　バックアップ方式によってリストア手順も変わります。フルバックアップは一度でリストアできます。差分バックアップはフル→差分の順にリストアします。

イメージでつかもう！

● 専用ツールで、バックアップの対象や方式、保存先などを管理

サーバーの重要なデータは、必ずバックアップ（データのコピー）をしておきます。万一サーバーのデータが失われたときは、バックアップしておいたデータをリストア（書き戻し）します。

バックアップスケジュールの管理
バックアップデータおよびメディアの管理

代表的なバックアップソフトウェア
- Backup Exec
- Arcserve Backup
- Windows Serverバックアップ

いつバックアップするか

日次バックアップは自動化し、夜間や明け方など、クライアントがアクセスしてこない時間帯に行います。週次や月次のバックアップは、通常、サーバー全体のバックアップを時間をかけて行います。

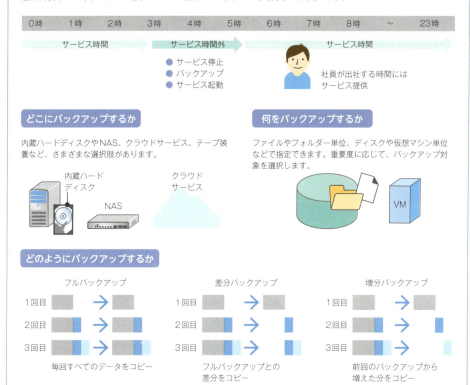

どこにバックアップするか

内蔵ハードディスクやNAS、クラウドサービス、テープ装置など、さまざまな選択肢があります。

何をバックアップするか

ファイルやフォルダー単位、ディスクや仮想マシン単位などで指定できます。重要度に応じて、バックアップ対象を選択します。

どのようにバックアップするか

	フルバックアップ	差分バックアップ	増分バックアップ
1回目			
2回目			
3回目			
	毎回すべてのデータをコピー	フルバックアップとの差分をコピー	前回のバックアップから増えた分をコピー

8　サーバーの運用管理

関連用語　NAS ▶ p.92　クラウドサービス ▶ p.58

Chapter **8** 管理で使用する定番コマンドを覚えよう

06 コマンドでネットワークの状態を知る

　ネットワークに障害が発生したときに、CLI(Command Line Interface)上でネットワークの状態を確認するコマンドが「**ネットワーク・コマンド**」です。ネットワーク・コマンドは Windows パソコンだと「コマンドプロンプト」や「PowerShell」、Linux パソコンや Mac だと「Terminal」で入力します。代表的なネットワーク・コマンドには、以下のようなものがあります。

- **ipconfig**(Windows OS) / **ip addr show**(Linux OS)

　IP アドレスやサブネットマスク、デフォルトゲートウェイなど、ネットワークに関する設定を表示するコマンドです。

- **ping**

　特定の IP アドレスに対する疎通を確認するコマンドです。「**ICMP(Internet Control Message Protocol)**」という制御データを送受信して、お互いの疎通を確認できます。

- **tracert**(Windows OS) / **traceroute**(Linux OS)

　特定の IP アドレスに対する経路を確認するコマンドです。どのような経路をたどって、その IP アドレスまで到達しているかを確認できます。

- **arp**

　ARP テーブルの情報を表示するコマンドです。同じネットワークにいるコンピューターの MAC アドレスを確認できます。

- **nslookup**

　DNS による名前解決を確認するコマンドです。DNS サーバーで名前解決ができているかを確認するために使用します。

- **netstat**

　コネクション情報（接続している IP アドレスやポート番号）やルート情報を表示するコマンドです。送受信したパケット数やエラーパケット数など、NIC の統計情報も表示できます。

プラス1　最近はコマンドを GUI ベースで実行するツールもたくさん用意されています。コマンドに抵抗があるようであれば、うまく活用するとよいでしょう。

イメージでつかもう！

● ネットワークの状態は、コマンドを使って確認できる

OSには、ネットワークの状態を確認できるコマンドが用意されています。コマンドを実行すると、それに応じた結果が画面に表示されます。

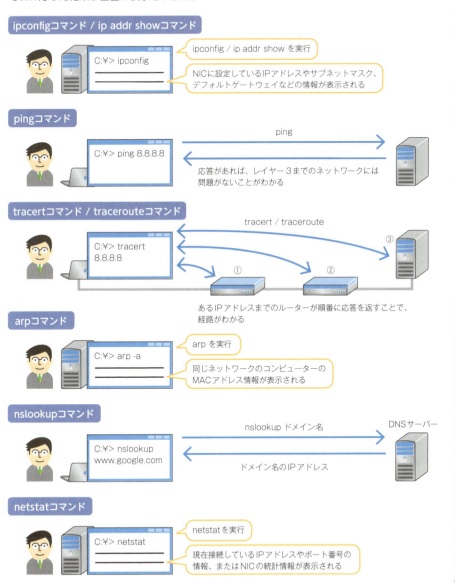

| 関連用語 | ARP ▶p.44　CLI ▶p.72　DNSサーバー ▶p.84　IPアドレス ▶p.38　MACアドレス ▶p.34　サブネットマスク ▶p.38　デフォルトゲートウェイ ▶p.44　ポート番号 ▶p.46 |

Chapter 8 ネットワークのどの部分に障害が発生したのか突き止める

07 コマンドで障害を切り分ける

　サーバーも、ネットワークに接続していなければただの箱です。ネットワークに障害が発生したときは、ネットワークのどこに障害が発生したのか、8-06 節のネットワーク・コマンドを駆使して、切り分けていきます。ネットワークに障害が発生したときは、OSI 参照モデルの物理層から上に向かって順に状態を確認していきます。

■ 物理層から上に向かって状態を確認

　まず、**NIC が正常にリンクアップしているかどうか、物理層を確認します。**リンクアップしていなければ、NIC や接続しているスイッチのインターフェース、LANケーブルの障害を疑います。接続しているスイッチのインターフェースを変えてみたり、新しい LAN ケーブルに変えてみたりして、障害部位を絞り込みます。

　リンクアップしていれば、データリンク層の障害を疑います。デフォルトゲートウェイに ping を打ち、リプライがなかったら arp でデフォルトゲートウェイのMAC アドレスを認識しているか確認します。MAC アドレスを認識できていれば、デフォルトゲートウェイで通信を拒否していないか確認してください。MAC アドレスを認識できていなければ、スイッチかデフォルトゲートウェイに何らかの問題があります。

　デフォルトゲートウェイからリプライが返ってきたら、そこから先のネットワーク層の障害を疑います。デフォルトゲートウェイから先にあるネットワークの IP アドレスに対して ping を打ちます。リプライがなかったら、tracert を利用して、どこまで経路を確保できているかを確認します。tracert のリプライがなくなったところに、何らかの障害があるとわかります。

　tracert(traceroute) で経路が確保できていたら、トランスポート層の障害を疑います。トランスポート層の障害で最も多いのが、ファイアウォールルールの設定間違いです。ファイアウォールで通信が拒否されていないか確認します。

　ファイアウォールで許可されていたら、アプリケーションレベルの障害になります。たとえば、Web ブラウザのように URL に対してアクセスするようであれば、名前解決できているか nslookup で確認し、名前解決できないようであれば、DNSサーバーの障害を疑います。

イメージでつかもう！

● ネットワークに障害があるときは、物理層から順番に確認する

ネットワークに障害が発生したときは、OSI参照モデルのレイヤー1（物理層）から上に向かって順番に状態を確認していきます。

1 NICが正常にリンクアップしているか確認する

NICのLINKランプが点灯しているか目視で確認します。点灯していなければ、NICやスイッチのインターフェース、LANケーブルの障害が疑われます。

2 デフォルトゲートウェイのMACアドレスを認識しているか確認する

デフォルトゲートウェイにpingコマンドを打ちます。応答がなかったら、arpコマンドでデフォルトゲートウェイのMACアドレスを認識できているか確認します。認識できていなければ、スイッチの障害や、デフォルトゲートウェイの設定ミスが疑われます。

② pingの応答がなければ、arpでMACアドレスを確認

3 目的のコンピューターまで通信経路が確保できているか確認する

デフォルトゲートウェイの先のあて先IPアドレスにpingコマンドを打ちます。応答がなかったら、tracertコマンドでどこまで経路が確保できているか確認します。tracertのリプライがなくなったところに、何らかの障害があります。

② pingの応答がなければ、tracertでどこまで経路が確保できているか確認

4 ファイアウォールで通信がフィルタされていないか確認する

ファイアウォールで通信が拒否されていないか確認します。

5 DNSサーバーで名前解決ができているか確認する

URLをIPアドレスに変換できているか、nslookupコマンドで確認します。変換できていない場合はDNSサーバーの障害が疑われます。

Chapter **8**　サーバーやネットワーク機器の時計を合わせる

08　NTPサーバーの役割

NTPサーバーは「**NTP(Network Time Protocol)**」というプロトコルを利用して、時刻を配信するサーバーです。障害が発生したときに、最も重要になる情報が「時刻」です。サーバーやネットワーク機器の時刻がずれていると、発生した事象を時系列に並べることができず、情報を整理できなくなります。NTPサービスを提供するサーバーソフトウェアには、Linux系サーバーOSで動作する「ntpd」、Windows系サーバーOSに標準で含まれている「w32time(Windows Timeサービス)」があります。

■ NTPサーバーはUDPを使用している

NTPサーバーが時刻配信に使用しているNTPは、クライアントの「今何時ですか？」という時刻要求に対して、「今、○○時です」と時刻を返す、とてもシンプルな動きをします。**信頼性よりも即時性を求めるため、UDP(ポート番号：123番)を使用しています。**

■ NTPサーバーは階層構造になっている

NTPサーバーは、「**ストレイタム (stratum)**」という値を使用した階層構造になっています。ストレイタムは時刻ソースからのネットワーク的な距離（NTPホップ数）を表しています。最上位は「Stratum 0」で、原子時計（セシウム時計）やGPS、標準電波など、絶対にずれることのない正確な時刻源です。そこから階層を下りるごとに「Stratum 1」「Stratum 2」…と数字が大きくなります。「Stratum 0」のサーバー以外のNTPサーバーは、上位ストレイタムのNTPサーバーに対するNTPクライアントでもあります。そして、上位のNTPサーバーと時刻を同期できないかぎり、下位のサーバーに時刻を配信しないような作りになっています。たとえば、「Stratum 2」のNTPサーバーは「Stratum 3」のNTPサーバーであると同時に、「Stratum 1」のNTPクライアントでもあります。また、「Stratum 1」と時刻を同期できないかぎり、「Stratum 3」には時刻を配信しません。

プラス1　電波時計で使用する標準電波の時刻情報をNTPに変更して配信するアプライアンスサーバーもあります。インターネットに接続できないようなネットワーク環境で有効です。

イメージでつかもう！

● 障害解決の手掛かりとして「時刻」の情報は最も重要

障害が発生したとき、サーバーやネットワーク機器の時刻がずれていると、発生した事象を時系列に並べることができません。

そのため、サーバーやネットワーク機器では、時刻合わせのために**NTPサーバー**を指定して、時刻を教えてもらうように設定します。

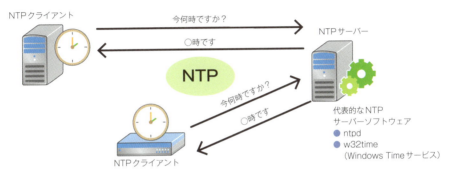

● NTPサーバーは階層構造になっている

上位から下位へと時刻情報を配信して、少数の時刻源にアクセスが集中しないようになっています。

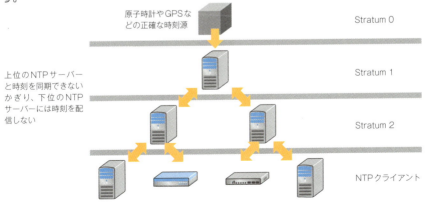

関連用語　UDP ▶p.46　Linux系サーバーOS ▶p.72　Windows系サーバーOS ▶p.72

Chapter 8 サーバーやネットワーク機器のログを収集する

09 Syslogサーバーの役割

システムに障害が発生したとき、真っ先に確認しないといけない情報がサーバーやネットワーク機器のイベント（ログ）が記録されたログファイルです。「いつ、どの機器に、どんな事象が発生したか」、これをいかに上手に整理できるかが解決のポイントになります。このログを収集するサーバーが「Syslog サーバー」です。Syslog サーバーは、サーバーやネットワーク機器から Syslog プロトコルで転送されてくるログを受信し、一元的に管理します。Syslog サービスを提供するサーバーソフトウェアとして、Linux 系サーバー OS で動作する「syslog-ng」「rsyslog」、Windows 系サーバー OS で動作する「Kiwi Syslog Server」があります。

■ ログを整理する

Syslog サーバーでログを整理するときに使用する項目が、Syslog メッセージに含まれる「Facility」と「Severity」です。Facility は、ログの種類を表しています。Facility にはカーネル（OS の中核部分）のログを表す「kern」や、デーモン（常駐プログラム）のログを表す「daemon」など、全部で 24 種類あります。Severity は、ログの緊急度・重要度を表しています。Severity には緊急度が高いほうから順に、「Emergency(緊急事態)」「Alert(危険な状態)」「Critical(致命的なエラー)」「Error(一般的なエラー)」「Warning(警告)」「Notice(重要な通知)」「Informational(一般的な情報)」「Debug(デバッグ情報)」があります。

■ ログをフィルタリングする

Syslog サーバーを運用していると、障害が発生したときに限って、膨大な Syslog メッセージが転送されてきて、重要なログを見逃してしまいがちです。肝心なときに役に立たなければ、せっかくのログも宝の持ち腐れです。Severity や Facility、メッセージに含まれる文字列などを利用して、**Syslog メッセージをフィルタリングし、重要なログを見逃さないようにしてください**。

プラス 1 ログファイルは時間とともに肥大化し、ストレージ容量を圧迫します。一定のファイルサイズや期間で古いファイルを削除したり、新しくファイルを作ったりして、肥大化を回避します。

イメージでつかもう！

● 障害が発生したときはログ（記録）を真っ先に確認する

障害が発生したとき、サーバーやネットワーク機器のログ（記録）を確認することで、いつ、どの機器にどんな事象が発生したかを整理できます。

Syslog サーバーを構築すると、それらのログを収集して一元的に管理できます。

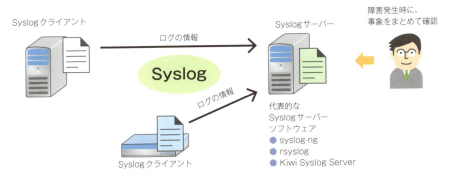

代表的な
Syslog サーバー
ソフトウェア
● syslog-ng
● rsyslog
● Kiwi Syslog Server

● ログのメッセージは種類と緊急度で整理できる

ログのイメージ

Date	Facility	Severity	Host Name	Message
2016-2-14 11:59:03	User	Error	ubu01.local	Script failed to load

- 日付と時間
- ログを送ってきたコンピューター
- どのような事象があったかについてのメッセージ
- ログの種類。OSの中核部分を表す「kern」や、常駐プログラムを表す「daemon」など、24種類ある
- ログの緊急度・重要度。緊急事態を表す「Emergency」や、危険な状態を表す「Alert」など、8種類ある

障害が発生したときは膨大なログが出力されるので、ログに含まれる文字列を利用して絞り込み、重要なログを見つけ出します。

関連用語 Linux系サーバーOS ▶p.72　Windows系サーバーOS ▶p.72

Chapter 8 サーバーやネットワーク機器の情報を取得・設定する

10 SNMPサーバーの役割

Syslog サーバーと並んで、運用管理で使用されるサーバーが「**SNMP サーバー**」です。SNMP サーバーは大きく分けて、「**状態・設定監視**」「**設定変更**」「**障害検知**」という 3 つの役割を担っています。正常時はサーバーやネットワーク機器など、監視対象になる SNMP クライアントの状態情報や設定情報を定期的に取得し、場合によっては設定変更も行います。障害時は、SNMP クライアントから転送されてきた障害情報を受け取ります。SNMP マネージャサービスを提供するサーバーソフトウェアとしては、オープンソースの「Zabbix」や「net-snmp」、「TWSNMP マネージャ」、IBM の「Tivoli NetView」などがあります。

状態情報や設定情報を取得する

SNMP サーバーは、SNMP クライアントが持っている「**MIB(Management Information Base)**」の情報を、「**SNMP(Simple Network Management Protocol)**」というプロトコルを利用して定期的に取得します。MIB は、SNMP クライアントの状態情報や設定情報が書き込まれているデータベースのようなものです。SNMP サーバーは、取得したデータをグラフ化するなどして、管理者が見やすいように加工します。

設定を変更する

設定を変更するときにも MIB を使用します。SNMP サーバーは、設定を変更したい SNMP クライアントに SNMP でアクセスし、MIB の情報を書き換えます。SNMP クライアントは書き換えられた MIB の情報に基づいて、設定を変更します。

障害を通知する

SNMP クライアントは何らかの障害が発生すると、それに応じて SNMP で障害情報を送信します。この動きは Syslog に似ています。SNMP サーバーは障害情報を受け取ると、アラートメッセージをポップアップしたり、メールを送信したり、設定に応じた処理を行います。

> **プラス 1** MIB の情報はルートを頂点としてツリー状に管理されています。各情報には「OID（Object ID）」という名前の識別子が付与されていて、SNMP で指定すると値を取得できます。

イメージでつかもう！

● SNMPはネットワーク経由でシステムを監視・設定する

SNMPに対応したサーバーやネットワーク機器が、SNMPクライアントになります。SNMPクライアントは、状態情報（CPU使用率やメモリ使用率など）や設定情報（ホスト名やIPアドレスなど）が書かれたMIBというデータベースを持っています。

情報の取得、設定の変更

SNMPサーバーからSNMPクライアントへコマンドを送り、MIBの情報の読み出し、MIBの情報の書き換えを行うことで、状態情報や設定情報の取得、設定の変更を行います。

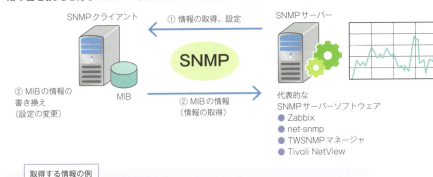

代表的なSNMPサーバーソフトウェア
- Zabbix
- net-snmp
- TWSNMPマネージャ
- Tivoli NetView

取得する情報の例
CPUの使用率、メモリの使用率、ストレージの空き領域、NICでやりとりしたパケット数など

障害の通知

SNMPクライアントに何らかの障害が発生すると、SNMPクライアントからSNMPサーバーへ情報を送信します。

関連用語　Syslog サーバー ▶ p.186

INDEX

A 〜 F

Active Directory ドメイン	88, 90
Amazon Web Services	112
Ansible	78
ARP	44
CDN	128
CIDR 表記	38
CPU	70
DHCP サーバー	82
DMZ	108, 158
DNS サーバー	84, 86
Docker	66
Exchange Online	104
FQDN	84
FTP サーバー	130

H 〜 N

HTTP サーバー	116
HTTPS サーバー	118, 122
IaaS	58
IDS	160
IMAP サーバー	102
IPS	160
IP アドレス	38, 40, 44, 50, 82
Kubernetes	66
LAN	24, 80
Linux 系サーバー OS	72
MAC アドレス	34, 44
Microsoft Exchange Server	104
NAPT	50
NAS	92
NAT	50, 110
NIC	32, 44, 70, 140
NTP サーバー	184

O 〜 S

OSI 参照モデル	20, 32
PaaS	58
POP サーバー	102
RAID	138
SaaS	58
SIP サーバー	96
SMTP サーバー	100
SNMP サーバー	188

SSH	172
SSL/TLS	118, 120, 122
SSO サーバー	94
Syslog サーバー	186

T 〜 W

TCP	46
Trust ゾーン	158
UDP	46
Untrust ゾーン	158
UPS	142
URL	116
VPN サーバー	132
WAN	24
Web アプリケーションファイアウォール	154, 156, 164
Web サーバー	114
Windows 系サーバー OS	72
Wireshark	52
WSUS サーバー	176

あ行

アプライアンスサーバー	74
アプリケーションサーバー	114, 124
アプリケーション層	32
暗号化	118, 120
イーサネット	34
インターネット回線	110
運用管理	22, 170
オープンソースソフトウェア	20
オンプレミス	56, 60, 108, 110

か行

仮想アプライアンスサーバー	76
仮想化	62
仮想化ソフトウェア	64
キャッシュサーバー	84, 86
脅威	152
境界型防御	158
共通鍵暗号化方式	120
クライアント	12
クライアント／サーバーシステム	14
クラウド	56, 80, 108, 112
クラスター	144

グローバル IP アドレス	40, 50, 110
計画停電	150
広域負荷分散技術	148
公開鍵暗号化方式	120
公開サーバー	108
更新プログラム	174, 176
構成管理ツール	78
コンテナ	66
コンテンツサーバー	84, 86

さ行

サーバー	12
サーバーソフトウェア	18, 20
サーバー負荷分散技術	146
サーバールーム	60
サーバーレスコンピューティング	134
サービス	16
サブネットマスク	38
次世代ファイアウォール	154, 156, 162
社内サーバー	80
障害対応	22, 170
冗長化技術	136
スイッチング	36
ストレージドライブ	70
脆弱性	152
セキュリティゾーン	158
セキュリティリスク	152
セッション層	32
設定変更	22, 170
ゼロトラスト	168

た行

多要素認証	106
タワー型	68
チーミング	140
データセンター	60
データベースサーバー	114, 126
データリンク層	32
デジタル証明書	118, 122
デフォルトゲートウェイ	44
ドメインコントローラー	88
ドメイン名	84, 110
トランスポート層	32

な～は行

ネットワーク	24
ネットワーク・コマンド	180
ネットワーク障害の切り分け	182
ネットワーク層	32
ハイパーバイザー	64
ハイブリッドクラウド	56
パケット	30
パケットキャプチャ	52
パスワード認証	106
バックアップ	136, 178
ハッシュ化	118
ファイアウォール	110, 154, 156
ファイアウォールルール	154
ファイルサーバー	92
フォールトトレランス	62
負荷分散装置	146
復号	120
物理層	32
プライベート IP アドレス	40, 50
ブレード型	68
プレゼンテーション層	32
プロキシサーバー	98
プロトコル	30
ヘッダー	30
ポート番号	46, 48, 50
ホスト OS	64

ま～わ行

メールセキュリティシステム	166
メモリ	70
ライブマイグレーション	62
ラックマウント型	68
リクエスト	14, 48
リモートデスクトップ	172
ルーティング	42
レイヤー	28
レスポンス	14, 48
ログ	186
ワークグループ	88

著者紹介

きはし まさひろ

某外資系ベンダーの現場叩き上げITコンサルタント。製造業から金融業、通信業にいたるまで、業種を問わず、いろいろなシステムの構築・運用経験を持つ。

■本書のサポートページ

https://isbn2.sbcr.jp/15741/

本書をお読みいただいたご感想を上記URLよりお寄せください。
本書に関するサポート情報やお問い合わせ受付フォームも掲載しておりますので、あわせてご利用ください。

イラスト図解式
この一冊で全部わかるサーバーの基本 第2版

2022年 5月20日　初版第 1 刷発行
2025年 1月20日　初版第 6 刷発行

著　　者 ……………… きはし まさひろ
発 行 者 ……………… 出井 貴完
発 行 所 ……………… SBクリエイティブ株式会社
　　　　　　　　　　〒105-0001 東京都港区虎ノ門2-2-1
　　　　　　　　　　https://www.sbcr.jp/
印　　刷 ……………… 株式会社シナノ

カバーデザイン ………… 米倉 英弘（株式会社 細山田デザイン事務所）
イラスト ………………… 深澤 彩友美
制　　作 ………………… クニメディア株式会社
編　　集 ………………… 友保 健太

落丁本、乱丁本は小社営業部にてお取り替えいたします。
定価はカバーに記載されております。

Printed in Japan　ISBN978-4-8156-1574-1